A-Z CHICHESTER, BOGNOR REGIS & LITTLEHAM...

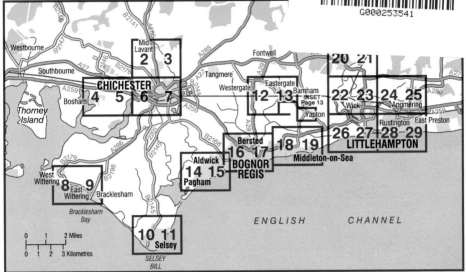

Reference

A Road	A259
Under Construction	
Proposed	
B Road	B2233
Dual Carriageway	
One Way Street Traffic flow on A roads is indicated by a heavy line on the drivers' left.	→
Pedestrianized Road	
Restricted Access	
Track and Footpath	
Residential Walkway	
Railway	Level Crossing / Station

Built Up Area	MILL LA.
Local Authority Boundary	
Postcode Boundary	
Map Continuation	▲ 20
Car Park Selected	P
Church or Chapel	†
Fire Station	■
Hospital	H
House Numbers A & B Roads only	2 / 23
Information Centre	i
National Grid Reference	293
Police Station	▲

Post Office	★
Toilet with Facilities for the Disabled	▼ / ♿
Educational Establishment	
Hospital or Health Centre	
Industrial Building	
Leisure or Recreational Facility	
Place of Interest	
Public Building	
Shopping Centre or Market	
Other Selected Buildings	

Scale 1:15,840

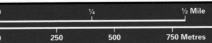

4 inches (10.16 cm) to 1 mile
6.31cm to 1kilometre

Geographers' A-Z Map Company Limited

Head Office : Fairfield Road, Borough Green, Sevenoaks, Kent TN15 8PP   Tel: 01732 781000
Showrooms : 44 Gray's Inn Road, London WC1X 8HX   Tel: 020 7440 9500

Based upon the Ordnance Survey mapping with the permission of the
Controller of Her Majesty's Stationery Office. © Crown Copyright (399000)

EDITION 2   1999   Copyright © Geographers' A-Z Map Co. Ltd.

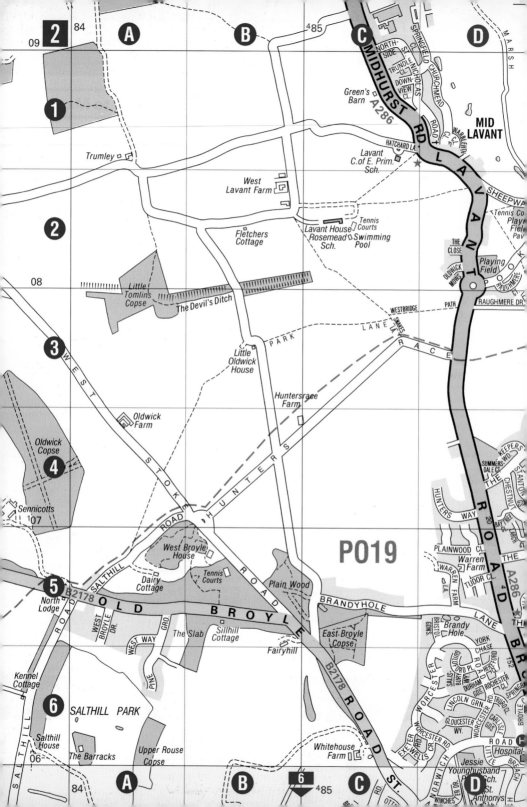

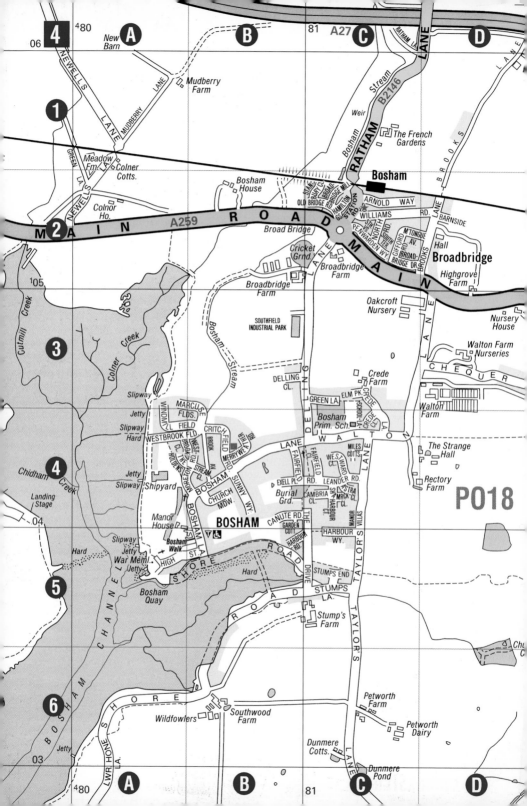

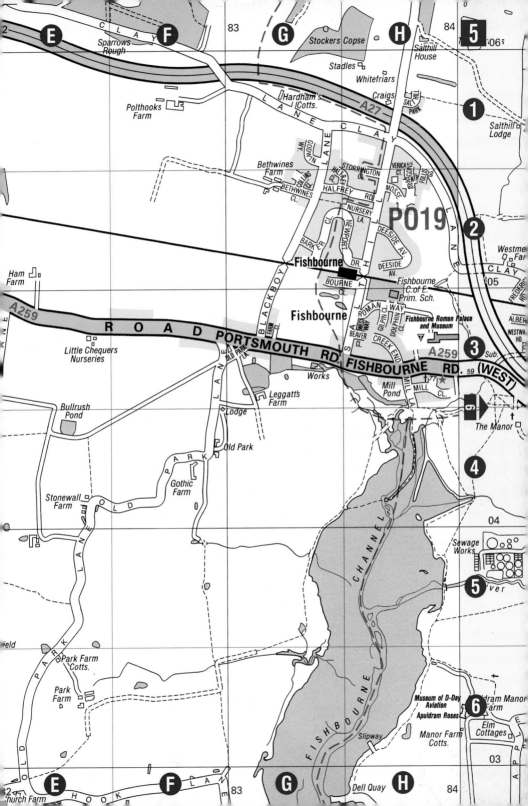

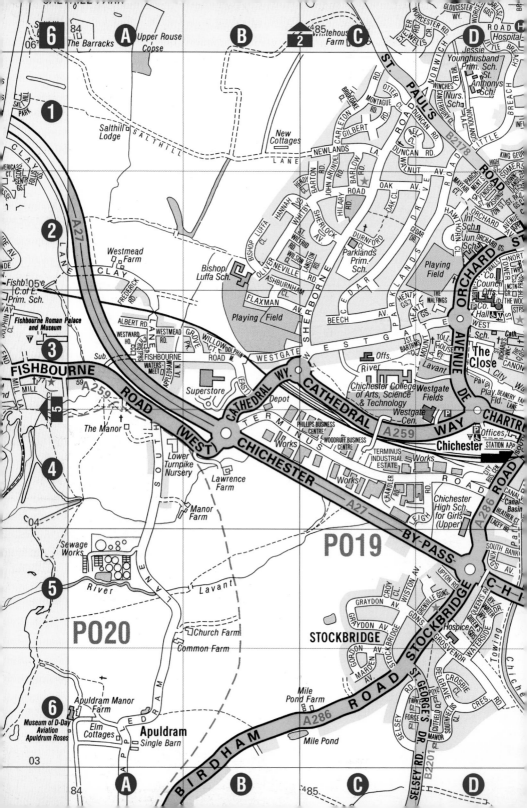

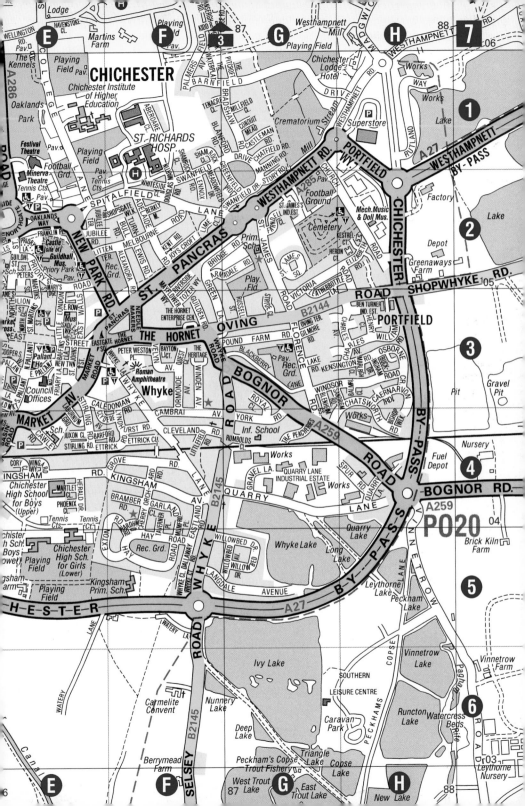

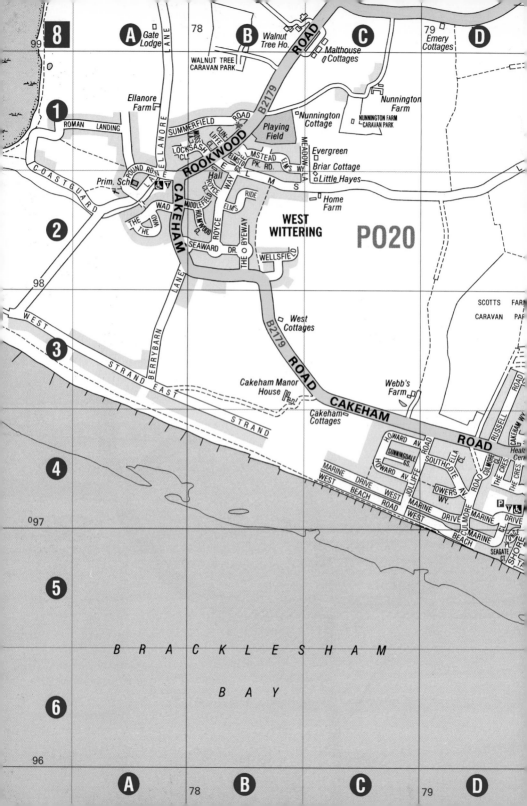

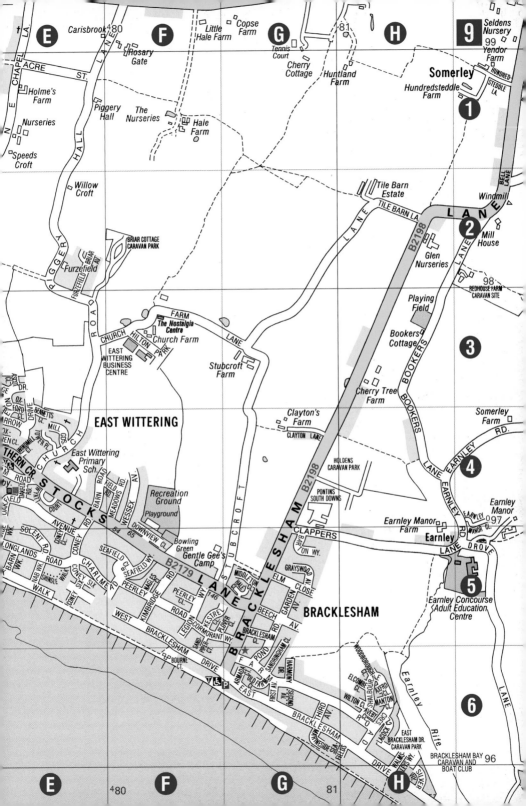

Greenlease Farm

GRANGE LANE

Norton Corner

B2745

Grange Farm

Bird Reserve

The Spit

RECTORY

ROAD

Farringdon's Barn

Bird Reserve

1

COPSE

PARK

Four Ways

PARK LANE

Villa Maria

Park Farm Cottages

Park Farm

LANE

PARK

Inner Owers

ROAD

2

94

DRIFT LANE

LANE PARK

PARK LANE

East Beach

WHEATFIELD RD.

PARK ROAD

PARK CR.

BEACH

ST. GEORGE'S CL.

BROADFIELD RD.

MOUNTWOOD RD.

ANDALE

ACH

MANOR

LANDON CL.

WAY

WITHERS CL.

STONE

HARCOURT WY.

FONTWELL

MANSFIELD

ORCHARD IPDE

CHICHESTER WAY

THE CLOSE

GILLWAY

NEWFIELD

PARK

3

EAST

ROAD

DRIVE

BEACH

ROAD

ORPEN PL.

DURNFORD

SEER

Car & Boat Park

ROMNEY

GTWAY.

HANDVER CL.

HATTISFIELD DR.

NORTHFIELD

WAY

MERRYFIELD DR.

CONSTABLE DR.

EAST PARK DR.

EAST BANK DR.

4

93

HANOVER CL.

FISHERMAN'S WK.

MERRYFIELD DR.

BURLINGTON

BEV-ERLEY CL.

RUSKIN CL.

TRELAWNY

FRASER

COT-LAND RD.

ALBION

K

MARINE VIEW WAY

BROAD WAY

E N G L I S H

5

RD.

Lifeboat House

C H A N N E L

86

6

92

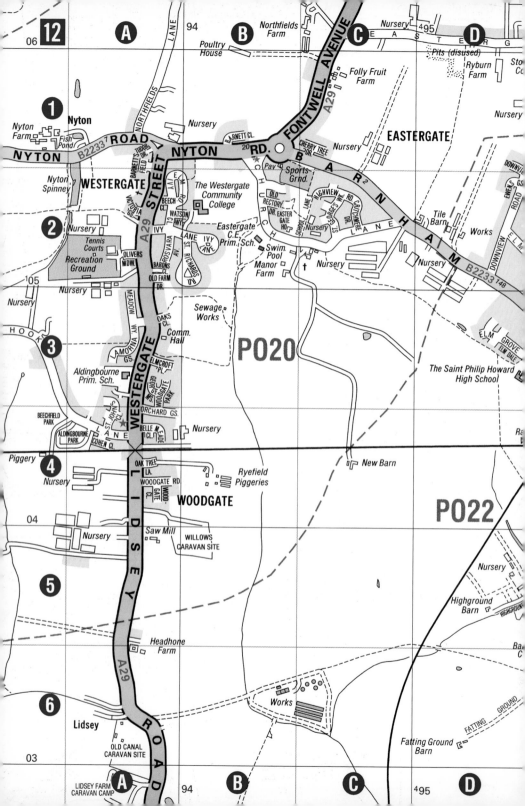

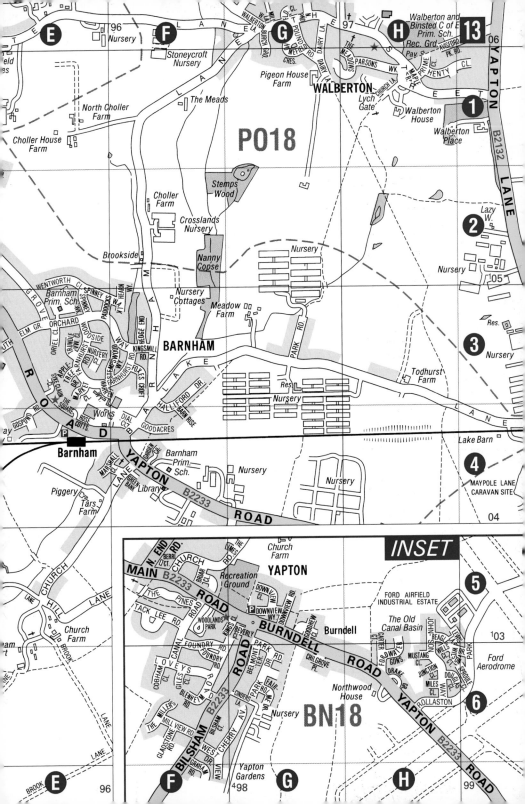

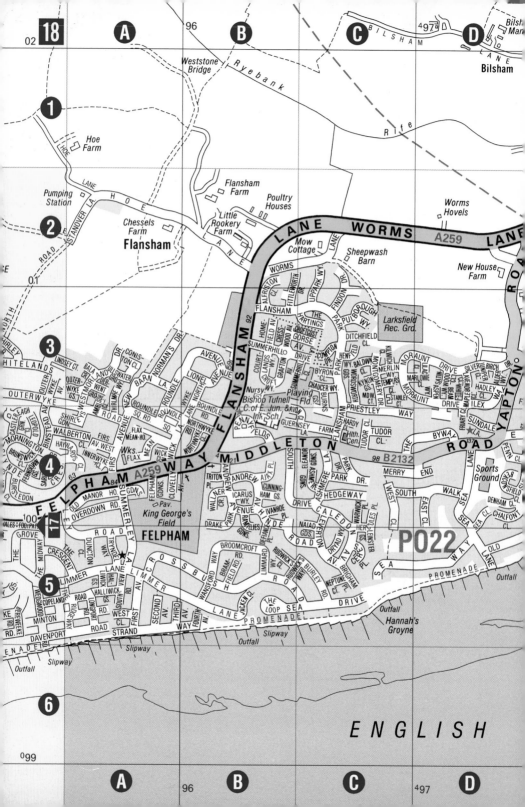

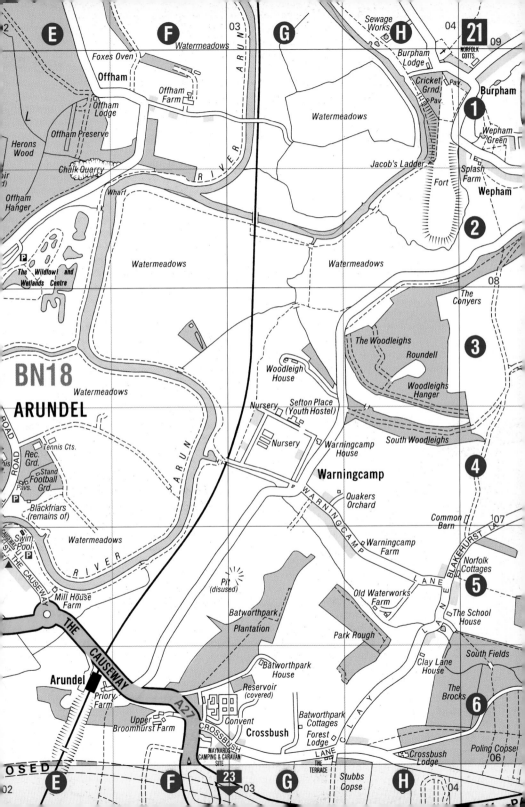

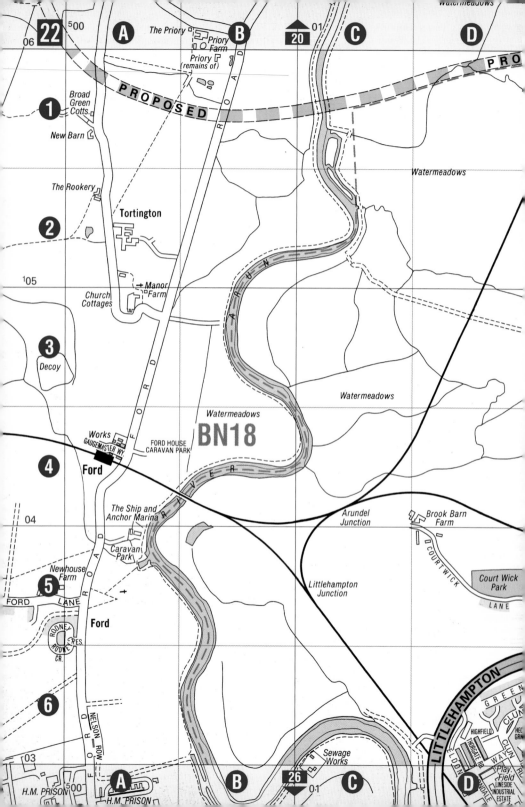

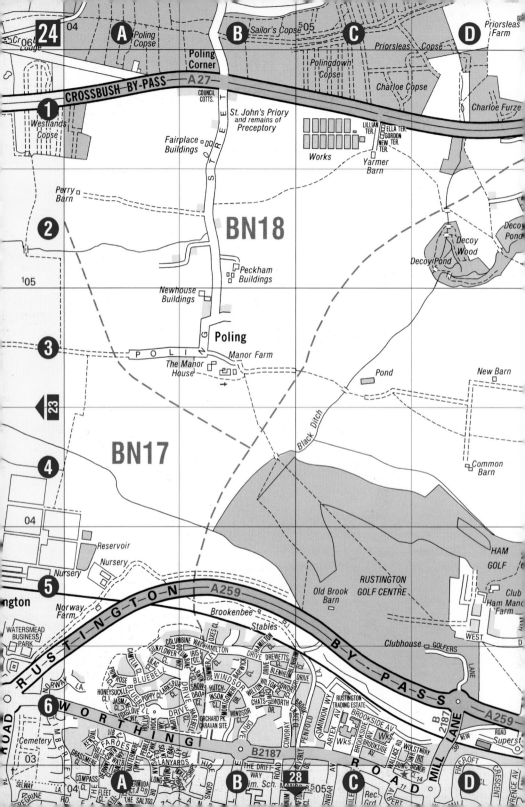

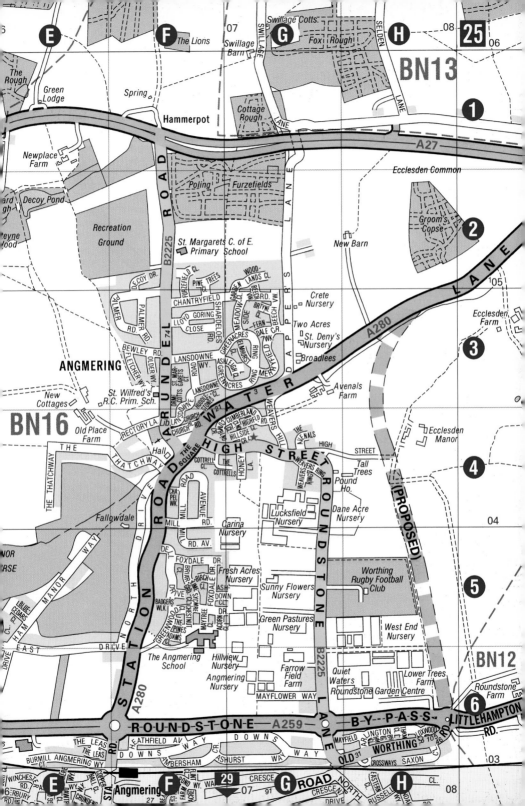

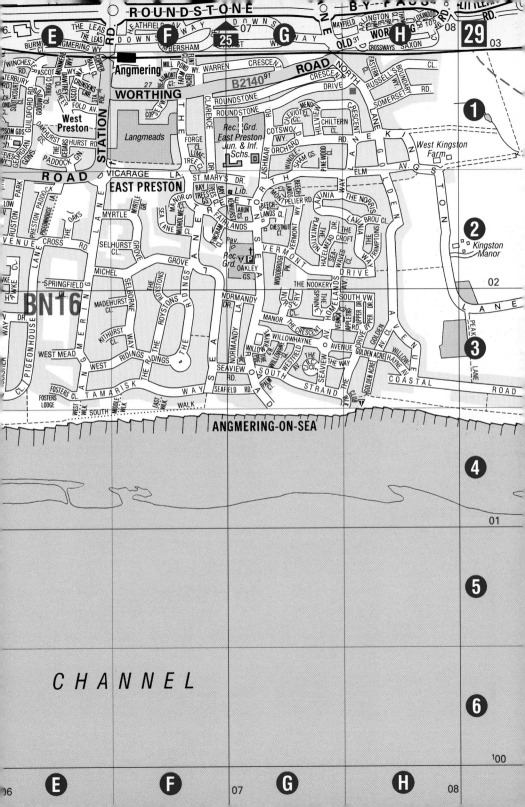

INDEX TO STREETS

Including Industrial Estates and a selection of Subsidiary Addresses.

HOW TO USE THIS INDEX

1. Each street name is followed by its Postal District and then by its map reference; e.g. Abbottsbury. *Bog R* —5C **14** is in the Bognor Regis Posttown and is to be found in square 5C on page **14**.
   A strict alphabetical order is followed in which Av., Rd., St., etc. (though abbreviated) are read in full and as part of the street name; e.g. Apple Gro. appears after Appledram La. S. but before Appletree Dri.

2. Streets and a selection of Subsidiary names not shown on the Maps, appear in the index in *Italics* with the thoroughfare to which it is connected shown in brackets; e.g. *Alpha Ct. Lit —2E* **27** *(off Terminus Rd.)*

GENERAL ABBREVIATIONS

All : Alley	Cotts : Cottages	La : Lane	Ri : Rise
App : Approach	Ct : Court	Lit : Little	Rd : Road
Arc : Arcade	Cres : Crescent	Lwr : Lower	Shop : Shopping
Av : Avenue	Cft : Croft	Mc : Mac	S : South
Bk : Back	Dri : Drive	Mnr : Manor	Sq : Square
Boulevd : Boulevard	E : East	Mans : Mansions	Sta : Station
Bri : Bridge	Embkmt : Embankment	Mkt : Market	St : Street
B'way : Broadway	Est : Estate	Mdw : Meadow	Ter : Terrace
Bldgs : Buildings	Fld : Field	M : Mews	Trad : Trading
Bus : Business	Gdns : Gardens	Mt : Mount	Up : Upper
Cvn : Caravan	Gth : Garth	N : North	Va : Vale
Cen : Centre	Ga : Gate	Pal : Palace	Vw : View
Chu : Church	Gt : Great	Pde : Parade	Vs : Villas
Chyd : Churchyard	Grn : Green	Pk : Park	Wlk : Walk
Circ : Circle	Gro : Grove	Pas : Passage	W : West
Cir : Circus	Ho : House	Pl : Place	Yd : Yard
Clo : Close	Ind : Industrial	Quad : Quadrant	
Comn : Common	Junct : Junction	Res : Residential	

POSTTOWN AND POSTAL LOCALITY ABBREVIATIONS

Ald : Aldingbourne	*Cross* : Crossbush	*Hal* : Halnaker	*Rust* : Rustington
Aldw : Aldwick	*Earn* : Earnley	*King* : Kingsham	*Sel* : Selsey
Ang : Angmering	*East* : Eastergate	*Lav* : Lavant	*S Ber* : South Bersted
Arun : Arundel	*Easth* : Easthampnett	*Lit* : Littlehampton	*Walb* : Walberton
Bar : Barnham	*E Lav* : East Lavant	*Lym* : Lyminster	*Warn* : Warningcamp
Bin : Binsted	*E Pre* : East Preston	*Mid S* : Middleton-on-Sea	*W Bro* : West Broyle
Bir : Birdham	*E Wit* : East Wittering	*N Ber* : North Bersted	*Wes* : Westergate
Bog R : Bognor Regis	*Elmer* : Elmer	*N Mun* : North Mundham	*Westh* : Westhampnett
Bosh : Bosham	*Fel* : Felpham	*Pag* : Pagham	*W Lav* : West Lavant
Bra B : Bracklesham Bay	*Fer* : Ferring	*Pat* : Patching	*W Wit* : West Wittering
Bur : Burpham	*Fish* : Fishbourne	*Pol* : Poling	*Wick* : Wick
Chich : Chichester	*Ford* : Ford	*R Grn* : Rose Green	*Wood* : Woodgate
Clim : Climping	*Good* : Goodwood	*Runc* : Runcton	*Yap* : Yapton

INDEX TO STREETS

Abbotswood Wlk. *Rust* —3C **28**
Abbottsbury. *Bog R* —5C **14**
A'Becket's Av. *Bog R* —4D **14**
Aberdare Clo. *Chich* —1F **7**
Acorn Clo. *Ang* —5F **25**
Acorn Clo. *Bog R* —3B **10**
Acorn End. *Bog R* —3F **15**
Acott Way. *Chich* —6D **6**
Acre Clo. *Rust* —1B **28**
Acre St. *W Wit* —1E **9**
Adams Ter. *Chich* —6D **2**
Addison Way. *Bog R* —1C **16**
Adelaide Rd. *Chich* —2F **7**
Admirals Wlk. *Lit* —1A **28**
Admiralty Gdns. *Bog R* —5H **17**
Admiralty Rd. *Bog R* —4G **17**
Aigburth Av. *Bog R* —2F **15**
Ajax Pl. *Bog R* —4B **18**
Albert Rd. *Bog R* —5E **17**
Albert Rd. *Chich* —3A **6**
Albert Rd. *Lit* —2F **27**
Albert Rd. *Rust* —1C **28**
Albion Rd. *Sel* —5E **11**
Alborough Way. *Bog R* —3F **15**
Aldbourne Dri. *Bog R* —3F **15**
Aldermans Wlk. *Chich* —2E **7**

Alder Way. *Bog R* —3D **18**
Aldingbourne Pk. *Ald* —4A **12**
Aldwick Av. *Bog R* —3H **15**
Aldwick Clo. *Rust* —4B **28**
Aldwick Felds. *Bog R* —2G **15**
Aldwick Gdns. *Bog R* —2H **15**
Aldwick Hundred. *Bog R*
—4G **15**
Aldwick Pl. *Bog R* —3H **15**
Aldwick Rd. *Bog R* —3G **15**
Aldwick St. *Bog R* —3G **15**
Alexander Clo. *Bog R* —3G **15**
Alexandra Rd. *Chich* —2F **7**
Alfred Clo. *Bog R* —4E **19**
Alfriston Clo. *Bog R* —3B **18**
Allandale Clo. *Sel* —3E **11**
Allangate Dri. *Rust* —1D **28**
Alleyne Way. *Bog R* —4G **19**
Alperton Clo. *Bog R* —3E **15**
Alpha Ct. Lit —2E **27**
(off Terminus Rd.)
Amberley Clo. *Lit* —1G **27**
Amberley Dri. *Bog R* —1H **15**
Amberley Rd. *Rust* —3C **28**
Ambersham Cres. *E Pre* —6F **25**
Ambleside Clo. *Bog R* —3A **18**

Anchor Springs. *Lit* —2F **27**
Ancton Clo. *Bog R* —4E **19**
Ancton Dri. *Bog R* —4F **19**
Ancton La. *Bog R* —3E **19**
Ancton La. Cvn. Site. *Bog R*
—3F **19**
Ancton Lodge La. *Bog R* —4F **19**
Ancton Way. *Bog R* —4F **19**
Andrew Av. *Bog R* —4B **18**
Andrew Clo. *Rust* —1B **28**
Angmering La. *E Pre* —3E **29**
Angmering Way. *Rust* —6E **25**
Annandale Av. *Bog R* —4D **16**
Anne Howard Gdns. *Arun*
—4C **20**
Anson Rd. *Bog R* —3D **14**
Answorth Clo. *Chich* —6F **3**
Appledram La. N. *Chich* —3A **6**
Appledram La. S. *Chich* —6A **6**
Apple Gro. *Bog R* —4D **14**
Appletree Dri. *Bar* —3E **13**
Appletrees. *E Pre* —3H **29**
Arcade Rd. *Lit* —2F **27**
Arcade, The. *Bog R* —5E **17**
Arcade, The. Lit —2F **27**
(off Arcade Rd.)

Argyle Cir. *Bog R* —5D **16**
(off Argyle Rd.)
Argyle Rd. *Bog R* —6D **16**
Arlington Cres. *E Pre* —6H **25**
Armada Ct. *Bra B* —6G **9**
Armadale Rd. *Chich* —2F **7**
Armada Way. *Lit* —1A **28**
Arndale Rd. *Wick* —1D **26**
Arnell Av. *Sel* —4D **10**
Arnhem Rd. *Bog R* —3C **16**
Arnold Way. *Bosh* —2C **4**
Artex Av. *Rust* —6C **24**
Arun Bus. Pk. *Bog R* —2F **17**
Arun Clo. *Rust* —1C **28**
Arun Ct. *E Pre* —2G **29**
Arundel Clo. *Bog R* —4B **16**
Arundel Dri. *Wick* —4E **23**
Arundel Gdns. *Rust* —2C **28**
Arundel Rd. *Ang* —4F **25**
Arundel Rd. *Lit* —1F **27**
Arundel Way. *Bog R* —4G **19**
Arun Pde. *Lit* —3F **27**
Arun Retail Pk. *Bog R* —2F **17**
Arun Rd. *Bog R* —4B **16**
Arun St. *Arun* —5D **20**
Arun Ter. *Arun* —6C **20**

Arun Way. *Bog R* —5D **14**
(in two parts)
Ascot Clo. *W Wit* —3E **9**
Ascot Way. *Rust* —1E **29**
Ashburnham Clo. *Chich* —2B **6**
Ashcroft. *Bog R* —6C **14**
Ashdown Clo. *Ang* —5F **25**
Ash Gro. *Bog R* —1D **16**
Ash Gro. Ind. Pk. *Bog R* —1E **17**
Ash La. *Rust* —2C **28**
Ashleigh Clo. *Ang* —3G **25**
Ashmere Gdns. *Bog R* —4C **18**
Ashmere La. *Bog R* —4C **18**
Ashton Gdns. *Rust* —3C **28**
Ashurst Clo. *Bog R* —2B **16**
Ashurst Way. *E Pre* —6F **25**
Ashwood Dri. *Rust* —2C **28**
Aspen Way. *Bog R* —3D **18**
Astra Clo. *Bosh* —4C **4**
Avebury Clo. *Bra B* —6H **9**
Avenals, The. *Ang* —4G **25**
Avenue App. *Chich* —2D **6**
Avenue de Chartres. *Chich*
—3D **6**
Avenue, The. *Bog R* —5C **16**
Avenue, The. *Chich* —5D **2**
Avian Gdns. *Bog R* —3D **14**
Avisford Pk. Rd. *Walb* —1H **13**
Avon Clo. *Bog R* —4C **18**
Avon Rd. *Lit* —2F **27**
Axford Clo. *Bra B* —6H **9**

Babsham La. *Bog R* —1A **16**
Badgers Wlk. *Ang* —5F **25**
Baffins La. *Chich* —3E **7**
Bailey Clo. *Lit* —6A **24**
Baker Gro. *Bog R* —1G **15**
Bakers Arms Hill. *Arun* —4D **20**
Bala Cres. *Bog R* —3A **18**
Baldwin Clo. *Bog R* —3C **18**
Balliol Clo. *Bog R* —1G **15**
Balmoral Clo. *Bog R* —3G **15**
Balmoral Clo. *Chich* —3H **7**
Banjo Rd. *Lit* —4G **27**
Bank Vw. Clo. *Bog R* —4E **17**
Barford Rd. *Chich* —4E **7**
Barker Clo. *Chich* —2G **5**
Barley Clo. *Bog R* —3B **14**
Barlow Rd. *Chich* —2C **6**
Barn Clo. *Wick* —5G **23**
Barnes Clo. *Sel* —6D **10**
Barnett Clo. *East* —1B **12**
Barnett's Field. *Wes* —2A **12**
Barnfield. *Bog R* —4G **17**
Barnfield Dri. *Chich* —1F **7**
Barnham La. *Bar & Walb*
—4F **13**
Barnham Rd. *East & Bar*
—1C **12**
Barn Rise. *Bar* —4F **13**
Barn Rd. *E Wit* —4E **9**
Barnside. *Bosh* —2D **4**
Barnsite Clo. *Rust* —1B **28**
Barnsite Gdns. *Rust* —1B **28**
Barn Wlk. *E Wit* —5E **9**
Barons Clo. *Wes* —2A **12**
Barons Mead. *Bog R* —5C **14**
Barque Clo. *Lit* —1A **28**
Barrack La. *Bog R* —5E **15**
Barton Clo. *Bog R* —4C **14**
Barton Ct. *Rust* —2B **28**
Barton Rd. *Bog R* —1B **16**
Barton Rd. *Chich* —2C **6**
Barton Way. *Bra B* —5G **9**
Barwick Clo. *Rust* —6B **24**
Basin Rd. *Chich* —4D **6**

Bassett Rd. *Bog R* —6D **16**
Bayford Rd. *Lit* —3F **27**
Bayton Ct. *Chich* —3F **7**
Bay Trees Clo. *E Pre* —2F **29**
Bay Trees Gdns. *E Pre* —2F **29**
Bay Wlk. *Bog R* —5E **15**
Beach Clo. *Bog R* —4E **15**
Beach Gdns. *Sel* —6C **10**
Beach Rd. *Bog R* —6C **14**
Beach Rd. *Lit* —2F **27**
Beach Rd. *Sel* —3E **11**
Beacon Dri. *Sel* —5D **10**
Beaconsfield Clo. *Bog R* —4D **18**
Beaconsfield Rd. *Wick* —6F **23**
Beacon Way. *Lit* —1A **28**
Beagle Dri. *Ford* —5H **13**
Beatty Rd. *Bog R* —4D **16**
Beaufield Clo. *Sel* —6C **10**
Beaumont Ct. *E Pre* —1F **29**
Beaumont Pk. *Lit* —3H **27**
Beaver Clo. *Chich* —3H **5**
Bedenscroft. *Bog R* —5B **16**
Bedford Av. *Bog R* —2B **16**
Bedford St. *Bog R* —5E **17**
Beech Av. *Bra B* —5G **9**
Beech Av. *Chich* —3C **6**
Beech Clo. *Wes* —2A **12**
Beechfield Pk. *Ald* —4A **12**
Beechlands Clo. *E Pre* —2G **29**
Beechlands Ct. *E Pre* —2G **29**
Beech Vw. *Ang* —3G **25**
(in two parts)
Beeding Clo. *Bog R* —1F **17**
Belgrave Cres. *Chich* —6D **6**
Bell Clo. *Chich* —1C **6**
Bell Ct. *Bog R* —3E **15**
Bell Davies Rd. *Lit* —1H **27**
Belle Meade Clo. *Wood* —4A **12**
Bell La. *Earn* —2H **9**
Belloc Rd. *Wick* —6E **23**
Bellscroft Clo. *Lit* —1H **27**
Belmont St. *Bog R* —6E **17**
Belmont Ter. *Yap* —6G **13**
Belyngham Cres. *Wick* —1E **27**
Ben Turner Ind. Est. *Chich*
—3H **7**
Bereweeke Rd. *Bog R* —4H **17**
Berghestede Rd. *Bog R* —2D **16**
Berkeley M. *Chich* —2F **7**
Bermuda Ct. *Lit* —1A **28**
Bernard Rd. *Arun* —5B **20**
Berri Ct. *Yap* —5F **13**
Berryland La. *W Wit* —3A **8**
Berry La. *Bog R* —1B **16**
Berry La. *Lit* —3H **27**
Berry Mill Clo. *Bog R* —4E **17**
Bersted Grn. Ct. *Bog R* —2D **16**
Bersted M. *Bog R* —3E **17**
Bersted St. *Bog R* —3D **16**
(in two parts)
Bethwines Clo. *Chich* —2G **5**
Beverley Clo. *Sel* —4E **11**
Beverley Clo. *Yap* —5G **13**
Beverley Gdns. *Rust* —1B **28**
Bewley Rd. *Ang* —3F **25**
Bickleys Ct. *Bog R* —6C **16**
Bignor Clo. *Rust* —1D **28**
Bilsham Ct. *Yap* —6F **13**
Bilsham La. *Yap* —1C **18**
Bilsham Rd. *Yap* —6F **13**
(nr. Burndell Rd.)
Bilsham Rd. *Yap* —1E **19**
(nr. Yapton Rd.)
Binstead Av. *Bog R* —3H **17**
Binsted Clo. *Rust* —3B **28**
Binsted La. *Bin* —5A **20**

Birch Clo. *Ang* —5F **25**
Birch Clo. *Arun* —6A **20**
Birch Clo. *Bog R* —2F **15**
Birches Clo. *Sel* —4B **10**
Birdham Clo. *Bog R* —3A **16**
Birdham Rd. *Chich* —6B **6**
Biscay Clo. *Lit* —1B **28**
Bishop Dri. *Wick* —6G **23**
Bishop Luffa Clo. *Chich* —2B **6**
Bishops Clo. *Bog R* —5C **14**
Bishopsgate Wlk. *Chich* —2F **7**
Blackberry La. *Chich* —3G **7**
Blackboy La. *Chich* —3G **5**
Black Horse Cvn. Pk. *Sel*
(off Mill La.) —3B **10**
Blakehurst La. *Warn* —5H **21**
Blakehurst Way. *Lit* —1F **27**
Blakemyle. *Bog R* —3H **15**
Blakes Rd. *Bog R* —4H **17**
Blanford Rd. *Chich* —1F **7**
Blatchen, The. *Lit* —3H **27**
Blenheim Clo. *Rust* —6B **24**
Blenheim Ct. *Bog R* —1G **15**
Blenheim Dri. *Rust* —6B **24**
Blenheim Gdns. *Chich* —3G **7**
Blenheim Rd. *Yap* —6F **13**
Blomfield Dri. *Chich* —6E **3**
Blondell Dri. *Bog R* —2F **15**
Bluebell Dri. *Rust* —6A **24**
Bluecedars Clo. *Ang* —5E **25**
Bognor Rd. *Chich & Mer* —3G **7**
Boleyn Dri. *Bog R* —4D **14**
Bond St. *Arun* —4C **20**
Bonnar Clo. *Sel* —5B **10**
Bonnar Rd. *Sel* —5B **10**
Bookers La. *Earn* —3H **9**
Bosham La. *Bosh* —4B **4**
Botany Clo. *Rust* —3D **28**
Boundary Way. *E Pre* —1H **29**
Bourne Clo. *Chich* —2G **5**
Bourne Ct. *E Wit* —6F **9**
Bowley La. *S Mun* —1B **18**
Bowling Grn. Clo. *Bog R*
—4D **14**
Boxgrove Gdns. *Bog R* —3E **15**
Box Tree Av. *Rust* —2B **28**
Bracklesham Bay Cvn. & Boat
Club. *Bra B* —6H **9**
Bracklesham Clo. *Bra B* —5G **9**
Bracklesham La. *Bra B* —6G **9**
Bradlond Clo. *Bog R* —6B **16**
Bradshaw Rd. *Chich* —1G **7**
Braemar Way. *Bog R* —1A **16**
Bramber Clo. *Bog R* —4B **16**
Bramber Rd. *Chich* —4F **7**
Bramber Sq. *Rust* —1C **28**
Brambletyne Clo. *Ang* —3G **25**
Bramblings, The. *Rust* —2D **28**
Bramfield Rd. *Bog R* —5B **18**
Bramley Gdns. *Bog R* —1C **16**
Brampton Clo. *Sel* —4C **10**
Brandyhole La. *Chich* —5C **2**
Brazwick Av. *Bog R* —1A **16**
Bread La. *Clim* —3A **26**
Bream La. *Sel* —3A **10**
Brendon Way. *Rust* —1B **28**
Brent Rd. *Bog R* —2H **15**
Brewery Hill. *Arun* —5D **20**
Briar Av. *W Wit* —2E **9**
Briar Clo. *Ang* —5F **25**
Briar Clo. *Yap* —5F **13**
Briar Cottage Cvn. Pk. *W Wit*
—2F **9**
Brickfield Clo. *Bog R* —3C **16**
Brideoake Clo. *Chich* —1C **6**
Bridge Rd. *Chich* —2F **7**
Bridge Rd. *Lit* —2D **26**

Bridgeway, The. *Sel* —5C **10**
Bridle Way, The. *Sel* —4C **10**
Bridorley Clo. *Bog R* —3D **14**
Brigham Pl. *Bog R* —5C **18**
Bristol Gdns. *Chich* —5D **2**
Broadbridge Dri. *Bosh* —2C **4**
Broadbridge Mill. *Bosh* —2C **4**
Broadmark Av. *Rust* —3C **28**
Broadmark La. *Rust* —3C **28**
Broadmark Pde. *Rust* —2C **28**
Broadmark Way. *Rust* —3C **28**
Broad Piece. *Lit* —1D **26**
Broad Strand. *Rust* —4D **28**
Broad Vw. *Sel* —4E **11**
Broadway. *Sel* —3B **10**
Broadway, The. *Chich* —5D **2**
Bronze Clo. *Bog R* —1D **16**
Brook Av. *Bosh* —4B **4**
Brook Clo. *Bog R* —4B **16**
Brookenbee Clo. *Rust* —6B **24**
Brooklands. *Bog R* —4C **18**
Brook La. *Bar* —6E **13**
Brookpit La. *Clim* —3A **26**
(in two parts)
Brookside Av. *Rust* —6C **24**
Brookside Cvn. Site. *Lym*
—4E **23**
Brooks La. *Bog R* —3F **17**
Brooks La. *Bosh* —2D **4**
(in two parts)
Brooks La. W. *Bog R* —3E **17**
Brooksmead. *Bog R* —4F **17**
Broomcroft Rd. *Bog R* —5B **18**
Broomfield Rd. *Sel* —3E **11**
Brou Clo. *E Pre* —2H **29**
Broyle Clo. *Chich* —6D **2**
Broyle Rd. *Chich* —6D **2**
Brunswick Clo. *Bog R* —3H **17**
Buckingham Dri. *Chich* —3H **7**
Buckland Dri. *Bog R* —3D **14**
Bucknor Clo. *Bog R* —3E **15**
Bucksham Av. *Bog R* —1A **16**
Burchett Wlk. *Bog R* —3A **16**
Burch Gro. *Walb* —1G **13**
Burley Rd. *Bog R* —5C **18**
Burlington Gdns. *Sel* —5E **11**
Burmill Ct. *Rust* —6E **25**
Burndell Rd. *Yap* —5G **13**
Burngreave Rd. *Bog R* —5C **16**
Burnham Av. *Bog R* —5D **16**
Burnham Gdns. *Bog R* —5D **16**
Burns Gdns. *Bog R* —3C **18**
Bursledon Clo. *Bog R* —3H **17**
Burwash Clo. *E Pre* —6H **25**
Bushby Av. *Rust* —2C **28**
Buttermere Way. *Lit* —1A **28**
Bye Way, The. *Aldw* —5E **15**
Byeway, The. *W Wit* —2B **8**
Byfield Pl. *Bog R* —2E **17**
Byron Clo. *Bog R* —3D **18**
Byron Rd. *Rust* —2A **28**
Bywater Way. *Chich* —5D **6**
Byways. *Sel* —6D **10**
Byway, The. *Mid S* —4C **18**

Caernarvon Rd. *Chich* —3H **7**
Cakeham Rd. *W Wit* —2A **8**
Cakeham Way. *W Wit* —4D **8**
Calcetto La. *Lym* —1F **23**
Caledon Av. *Bog R* —4C **18**
Caledonian Rd. *Chich* —3E **7**
California M. *Arun* —5C **20**
Cambrai Av. *Chich* —4F **7**
Cambria Clo. *Bosh* —4C **4**
Cambridge Av. *W Wit* —3D **8**
Cambridge Dri. *Bog R* —1H **15**

Cambridge Wlk.—Dame School Ct.

Cambridge Wlk. *Bog R* —1H **15**
Camelia Clo. *Rust* —6A **24**
Campbell Dri. *Rust* —1B **28**
Campbell Rd. *Bog R* —5E **17**
Canada Gro. *Bog R* —5D **16**
Canada Rd. *Arun* —4B **20**
Canadian Cres. *Sel* —6D **10**
Canal Rd. *Yap* —6F **13**
Canal Wharf. *Chich* —4D **6**
Canal Wharf Rd. *Chich* —4D **6**
Canning Rd. *Bog R* —5G **17**
Canon La. *Chich* —3D **6**
Canon's Clo. *Bog R* —4F **15**
Canon's Clo. *Bog R* —4F **15**
Canterbury Clo. *Bog R* —4C **14**
Canterbury Clo. *Chich* —1D **6**
Canterbury Rd. *Rust* —1E **29**
Canute Rd. *Bosh* —4B **4**
Cape, The. *Lit* —2A **28**
Capstan Dri. *Lit* —1A **28**
Cvn. Club Site, The. *Bog R*
    —1E **17**
Cardinal's Dri. *Bog R* —4C **14**
Carleton Rd. *Chich* —1C **6**
Carlingford Ct. *Bog R* —4D **16**
Carlisle Gdns. *Chich* —6D **2**
Carlton Av. *Bog R* —3E **15**
Carnation Clo. *Rust* —6B **24**
Carousel Ct. *Bog R* —3C **16**
Carse Rd. *Chich* —6F **3**
Carter Cres. *E Wit* —5F **9**
Carvel Way. *Lit* —1A **28**
Cassells Rd. *Chich* —5E **3**
  (in two parts)
Castle Gdns. *Arun* —4C **20**
Castleman Rd. *Chich* —1G **7**
Castlereagh Grn. *Bog R* —3H **17**
Cathedral Way. *Chich* —3B **6**
Causeway Ct. *Arun* —5E **21**
Causeway, The. *Arun* —5E **21**
Causeway, The. *Bog R* —5C **14**
Causeway, The. *Sel* —3B **10**
Cavendish Rd. *Bog R* —5D **16**
Cavendish St. *Chich* —2D **6**
Cawley Rd. *Chich* —4E **7**
Cedar Clo. *Bog R* —2F **15**
Cedar Clo. E. *Bog R* —2G **15**
Cedar Dri. *Chich* —3C **6**
Cedars, The. *E Pre* —1E **29**
Central Av. *Bog R* —2B **16**
Central Av. *Rust* —3C **28**
Central Dri. *Elmer* —4F **19**
Central Dri. *N Ber* —2A **16**
Ceres Pl. *Bog R* —5C **18**
Chainbridge La. *Sel* —2A **10**
Chalcraft La. *Bog R* —1G **15**
Chalfont Clo. *Bog R* —4D **18**
Chalkpit La. *E Lav* —1F **3**
Chanctonbury Clo. *Rust* —3B **28**
Chanctonbury Rd. *Rust* —3B **28**
Chandler Rd. *Chich* —4C **6**
Channel Keep. *Lit* —3G **27**
Channel Vw. *Bog R* —5C **14**
Chantryfield Rd. *Ang* —3F **25**
Chapel Clo. *Wick* —1E **27**
Chapel La. *W Wit* —1E **9**
Chapel St. *Bog R* —5D **16**
Chapel St. *Chich* —2D **6**
Chapel Wlk. *Ang* —4F **25**
Charles Av. *Chich* —3H **7**
Charlmead. *E Wit* —5E **9**
Charlwood St. *Bog R* —6C **16**
Charnwood Rd. *Bog R* —2C **16**
Chatfield Rd. *Chich* —1G **7**
Chatsworth Clo. *Rust* —6B **24**
Chatsworth Dri. *Rust* —6B **24**
Chatsworth Rd. *Chich* —3H **7**
Chaucer Av. *Rust* —2B **28**

Chaucer Way. *Bog R* —3C **18**
Chawkmare Coppice. *Bog R*
    —3G **15**
Chayle Gdns. *Sel* —5D **10**
Cheam Rd. *Rust* —3D **28**
Chequer La. *Bosh* —3D **4**
Cherry Av. *Yap* —6F **13**
Cherry Clo. *Bog R* —3F **15**
Cherry Croft. *Wick* —6F **23**
Cherry Gdns. *Sel* —6C **10**
Cherry Orchard Rd. *Chich* —5F **7**
Cherry Tree Dri. *East* —1C **12**
Cheshire Clo. *Bog R* —4E **17**
Chesswood Av. *Bog R* —3B **18**
Chestnut Av. *Chich* —4D **2**
Chestnut Clo. *Ang* —5F **25**
Chestnut Ct. *E Pre* —2G **29**
Chestnut Gro. *Bog R* —2D **16**
Cheveley Gdns. *Bog R* —3F **15**
Cheviot Clo. *E Pre* —1G **29**
Chichester Airfield. *Good* —4G **3**
Chichester Ct. *Rust* —2C **28**
Chichester Rd. *Arun* —4A **20**
Chichester Rd. *Bog R* —1A **16**
Chichester Rd. *Sel* —3D **10**
Chichester Way. *Sel* —3F **11**
Chilgrove Pl. *Yap* —6G **13**
Chiltern Clo. *E Pre* —1G **29**
Chine, The. *Lit* —3A **28**
Chipley Ct. *Bog R* —4B **16**
Christchurch Cres. *Bog R*
    —2G **15**
Christie Pl. *Bog R* —2E **17**
Church App. *Lit* —3G **27**
Church Clo. *Bog R* —6A **14**
Church Farm Holiday Village.
    Bog R —6A **14**
Church Farm La. *E Wit* —3F **9**
Church Hill. *Ang* —4F **25**
Churchill Av. *Bog R* —1G **15**
Churchill Pde. *Rust* —2C **28**
  (off Street, The)
Churchill Wlk. *Bog R* —5C **14**
  (off Ashcroft Way)
Church La. *Bar* —5E **13**
Church La. *Bog R* —3D **16**
Church La. *Clim* —2A **26**
Church La. *East* —3B **12**
Church La. *Lym* —3E **23**
Church La. *Pag* —5A **14**
Church La. *Walb* —1H **13**
Churchmead Clo. *Lav* —1D **2**
Church Meadow. *Bosh* —4B **4**
Church Path. *E Wit* —4E **17**
Church Path. *Mid S* —4E **19**
Church Rd. *Ang* —4F **25**
Church Rd. *Chich* —2G **7**
Church Rd. *E Wit* —4E **9**
Church Rd. *Rust* —2C **28**
Church Rd. *Sel* —3D **10**
Church Rd. *Yap* —5F **13**
Churchside. *Chich* —2D **6**
Church St. *Lit* —2G **27**
Church Way. *Bog R* —4C **14**
Cinders La. *Yap* —6G **13**
Circle, The. *E Pre* —3G **29**
City Bus. Cen. *Chich* —4D **6**
Claigmar Rd. *Rust* —2C **28**
Clappers La. *Bra B* —5G **9**
Clare Lodge. *Rust* —3B **28**
  (off Sea La.)
Clarence Av. *Wick* —6E **23**
Clarence Dri. *E Pre* —1F **29**
Clarence Rd. *Bog R* —5E **17**
Clark Vw. *Bar* —3F **13**
Clay La. *Fish & Chich* —1F **5**
Clay La. *Warn* —6H **21**

Claypit La. *Westh* —3H **3**
Clayton La. *Bra B* —4G **9**
Clayton Rd. *Sel* —5B **10**
Cleeves Ct. *Rust* —1D **28**
Cleeves Way. *Rust* —1E **29**
Cleveland Rd. *Chich* —4F **7**
Clevets, The. *Bog R* —4E **15**
Clifton Rd. *Bog R* —4D **16**
Clifton Rd. *Lit* —3F **27**
Climping St. *Clim* —3A **26**
Clock Pk. *Bog R* —2F **17**
Cloisters, The. *Lit* —3H **27**
Close, The. *Aldw* —5E **15**
Close, The. *Chich* —3D **6**
Close, The. *Elmer* —4F **19**
Close, The. *Lav* —2D **2**
Close, The. *Rust* —3D **28**
Close, The. *Sel* —3F **11**
Clovelly Av. *Bog R* —4A **18**
Club Wlk. *E Pre* —3H **29**
Clun Rd. *Wick* —6D **22**
Clyde Rd. *Bog R* —5G **17**
Clydesdale Av. *Chich* —4E **7**
Clydesdale Gdns. *Bog R* —1B **16**
Coach Ho. Clo. *Sel* —4D **10**
Coastal Rd. *E Pre* —3H **29**
Coastguard La. *W Wit* —2A **8**
Coastguard Pde. *Bog R* —4F **15**
  (off Barrack La.)
Coastguard Rd. *Lit* —4F **27**
Cobham Clo. *Yap* —6F **13**
Cohen Clo. *Ald* —4A **12**
Colebrook Rd. *Wick* —6E **23**
College Clo. *Bog R* —1H **15**
College La. *Chich* —6E **3**
Collins Ter. *Yap* —6F **13**
Collyer Av. *Bog R* —3B **15**
Colt's Bay. *Bog R* —4E **15**
Colt St. *Sel* —3C **10**
Columbine Dri. *Rust* —6B **24**
Columbine Way. *Rust* —5A **24**
Commonmead La. *Bog R*
    —2C **14**
Compass Clo. *Lit* —1A **28**
Compton Clo. *Chich* —4E **3**
Compton Dri. *Bog R* —3C **18**
Conbar Av. *Rust* —1C **28**
Conduit Mead. *Chich* —1G **7**
Coney Clo. *E Wit* —5E **9**
Coney Rd. *E Wit* —5E **9**
Coney Six. *E Wit* —5E **9**
Coniston Clo. *Bog R* —3A **18**
Coniston Way. *Lit* —6A **24**
Connaught Rd. *Lit* —2F **27**
Constable Dri. *Sel* —4E **11**
Conway Dri. *Bog R* —5C **14**
Cook Vw. *Bog R* —3A **18**
Coomes Way. *Wick* —5F **23**
Cooper St. *Chich* —3E **7**
Cootes La. *Bog R* —4E **19**
Copeland Rd. *Bog R* —4H **17**
Copper Hall Clo. *Rust* —1E **29**
Coppice La. *Sel* —3C **10**
Coppice, The. *Rust* —1D **28**
Copse, The. *Chich* —5E **3**
Copse Vw. *E Pre* —1F **29**
Copthorne Cvn. Site. *Bog R*
    —1F **15**
Copthorne Way. *Bog R* —1F **15**
Corbishley Grn. *Bog R* —2D **16**
Corbishley Rd. *Bog R* —2D **16**
Cormorant Way. *E Wit* —5F **9**
Cornfield Clo. *Wick* —6G **23**
Cornwall Gdns. *Lit* —1F **27**
Cornwall Rd. *Lit* —1F **27**
Cory Clo. *Chich* —4E **7**
Cotland Rd. *Sel* —5E **11**

Cotswold Way. *E Pre* —1G **29**
Cottage Clo. *Bog R* —3E **15**
Cottrell Clo. *Ang* —4F **25**
Cottrells, The. *Ang* —4F **25**
Council Cotts. *Pol* —1B **24**
Countisbury Clo. *Bog R* —2H **15**
Courtlands Way. *Bog R* —3B **18**
Court, The. *Bog R* —4C **14**
Courtwick La. *Wick* —5D **22**
  (in two parts)
Courtwick Rd. *Wick* —6E **23**
Coventry Clo. *Bog R* —1F **15**
Cove Rd. *Rust* —3B **28**
Cowdray Clo. *Rust* —6B **24**
Cowdray Dri. *Rust* —6B **24**
Coxes Rd. *Sel* —5B **10**
Coxswain Way. *Sel* —6D **10**
Crablands. *Sel* —4B **10**
Crablands Clo. *Sel* —4B **10**
Crab Tree Clo. *Wick* —4F **23**
Craigwell La. *Bog R* —3G **15**
Craigwell Mnr. *Bog R* —4F **15**
Crane St. *Chich* —3E **7**
Cranford Gdns. *Bog R* —4D **16**
Crede Clo. *Bosh* —4C **4**
Crede La. *Bosh* —3C **4**
Creek End. *Chich* —3H **5**
Crescenta Wlk. *Bog R* —5B **16**
Crescent Rd. *Bog R* —5D **16**
Crescent, The. *E Pre* —3G **29**
Crescent, The. *Fel* —4H **17**
Crescent, The. *Pag* —5C **14**
Crescent, The. *Rust* —3A **28**
Crescent, The. *W Wit* —4D **8**
Critchfield Rd. *Bosh* —4B **4**
Critchmere Dri. *East* —2C **12**
Croftcost La. *Bog R* —3C **18**
Croft Mead. *Chich* —5E **3**
Croft Rd. *Sel* —5C **10**
Croft, The. *Bog R* —3A **16**
Croft, The. *E Pre* —2G **29**
Croft Way. *Bog R* —3B **18**
Croft Way. *Sel* —4C **10**
Crookthorn La. *Clim* —3A **26**
Crosbie Clo. *Chich* —6D **6**
Crossbush By-Pass. *Cross*
    —1G **23**
Crossbush La. *Cross* —6F **21**
Crossbush Rd. *Bog R* —5A **18**
Cross Rd. *Rust* —2E **29**
Crossways. *Bog R* —4E **19**
Crossways. *E Pre* —6H **25**
Crossways, The. *Wick* —6E **23**
Croy Clo. *Chich* —5C **6**
Crundens Corner. *Rust* —1E **29**
Cudlow Av. *Rust* —2C **28**
Cudlow Gdns. *Rust* —3C **28**
Culmore Clo. *W Wit* —4D **8**
Culmore Rd. *W Wit* —4D **8**
Culver Rd. *Bog R* —4H **17**
Cumberland Clo. *Ang* —4G **25**
Cumberland Cres. *Ang* —4F **25**
Cumberland Rd. *Ang* —4G **25**
Cunliffe Clo. *W Wit* —1B **8**
Cunningham Gdns. *Bog R*
    —4B **18**
Curlescroft. *Bog R* —3H **15**
Cutfield Clo. *Chich* —6D **6**
Cygnet Wlk. *Bog R* —2C **16**
Cypress Way. *Bog R* —4F **15**

Dairy La. *Walb* —1G **13**
Dallaway Rd. *Chich* —5F **7**
Dalloway Rd. *Arun* —5A **20**
Daltons Pl. *Arun* —5C **20**
Dame School Ct. *E Lav* —2E **3**

Danefield Rd. *Sel* —5B **10**
Dapper's La. *Ang* —3G **25**
Dark La. *Bog R* —3H **15**
(in two parts)
Davenport Rd. *Bog R* —4H **17**
Davids Clo. *Bog R* —3A **16**
Davits Dri. *Lit* —1A **28**
Dawtrey Clo. *Rust* —1E **29**
Dean Clo. *Wick* —6E **23**
Deanery Farm La. *Chich* —3D **6**
Decoy Dri. *Ang* —2F **25**
Deepdene Clo. *Bog R* —4F **19**
Deer Pk. La. *Sel* —3A **10**
Deeside Av. *Chich* —2H **5**
Defiance Pl. *Bog R* —5B **18**
Dell Dri. *Ang* —5F **25**
Delling Clo. *Bosh* —3B **4**
Delling La. *Bosh* —4C **4**
Dell, The. *Bog R* —2B **16**
Dempsey Rd. *Chich* —5E **3**
Den Av. *Bog R* —5E **17**
Denham Clo. *Bog R* —4D **18**
Denny's Clo. *Sel* —4D **10**
Denshare Rd. *Sel* —3D **10**
Densihale. *Bog R* —5B **16**
Derwent Clo. *Lit* —1A **28**
Derwent Gro. *Bog R* —3A **18**
Devonshire Pl. *Bog R* —5D **16**
Devonshire Rd. *Bog R* —5C **16**
Dial Clo. *Bar* —4F **13**
Dickinson Pl. *Bog R* —2E **17**
Dingley Rd. *Rust* —2B **28**
Dinsdale Gdns. *Rust* —1C **28**
(in three parts)
Ditchfield Clo. *Bog R* —3C **18**
Dolphin Clo. *Chich* —3H **5**
Dolphin M. *Chich* —3B **6**
Dolphin Way. *Rust* —4D **28**
Domehouse Clo. *Sel* —6D **10**
Dominion Way. *Rust* —6C **24**
Donegal Rd. *Chich* —5D **2**
Dorset Clo. *Lit* —2G **27**
Dorset Rd. *Bog R* —3D **16**
Douglas Clo. *Bog R* —4E **19**
Douglas Clo. *Ford* —6H **13**
Douglas Martin Rd. *Chich* —2F **7**
Dove Ct. *Bog R* —2C **16**
Downing Clo. *Bog R* —1G **15**
Downlands Clo. *Bog R* —3C **14**
Downlands Ct. *Chich* —2D **6**
Downs Way. *E Pre* —6F **25**
Downview Clo. *E Wit* —5F **9**
Downview Clo. *Lav* —1C **2**
Downview Clo. *Yap* —5G **13**
Downview Rd. *Bar* —2D **12**
Downview Rd. *Fel* —3H **17**
Downview Rd. *Yap* —5G **13**
Downview Way. *Yap* —5G **13**
Drake Gro. *Yap* —6H **13**
Drake Pk. *Bog R* —4B **18**
Drewetts Clo. *Rust* —6B **24**
Drift La. *Sel* —3B **10**
Drift Rd. *Bog R* —3D **14**
Drift Rd. *Sel* —2E **11**
Driftway, The. *Rust* —1B **28**
Drive, The. *Bog R* —4F **15**
Drive, The. *Bosh* —4C **4**
Drive, The. *Chich* —4D **2**
Drive, The. *E Pre* —3H **29**
Drove La. *Earn* —5H **9**
Dryad Way. *Bog R* —5C **18**
Drygrounds La. *Bog R* —3G **17**
Duce St. *R Grn* —2D **14**
Duck La. *Sel* —3A **10**
Dukes Clo. *Arun* —5B **20**
Dukes Mdw. *Bog R* —2D **14**
Duke St. *Lit* —2F **27**

Duncan Rd. *Chich* —1C **6**
Duncton Clo. *Bog R* —5A **18**
Duncton Rd. *Rust* —6C **24**
Dunes, The. *Bog R* —5E **15**
Dunstan Clo. *Chich* —4E **3**
Durban Pk. *Bog R* —3E **17**
Durban Rd. *Bog R* —2D **16**
Durham Clo. *Bog R* —5C **14**
Durham Gdns. *Chich* —6D **2**
Durlston Dri. *Bog R* —2C **16**
Durnford Clo. *Chich* —2C **6**

Eagles Chase. *Wick* —5F **23**
Earnley Mnr. Clo. *Earn* —5H **9**
Earnley Rd. *Earn* —4H **9**
East Av. *Bog R* —3E **19**
E. Bank. *Sel* —4E **11**
E. Bank Wlk. Lit —3A **28**
(off Ketch Rd.)
E. Beach Rd. *Sel* —3F **11**
E. Bracklesham Dri. *Bra B*
—6G **9**
E. Bracklesham Dri. Cvn. Pk.
Bra B —6H **9**
East Clo. *Bog R* —4D **18**
Eastcourt Way. *Rust* —1E **29**
East Dri. *Ang* —6E **25**
East Dri. *Bog R* —5F **19**
Eastergate Grn. *Rust* —2C **28**
Easter Ga. Ho. *East* —2B **12**
Eastergate La. *East & Walb*
—1C **12**
Eastern Clo. *E Pre* —1H **29**
E. Front Rd. *Pag* —6C **14**
Eastgate Sq. *Chich* —3E **7**
East Ham Rd. *Lit* —2E **27**
E. Lake. *Bog R* —4E **17**
Eastland Rd. *Chich* —4F **7**
E. Mead. *Bog R* —5C **14**
Eastover Way. *Bog R* —4G **17**
East Pallant. *Chich* —3E **7**
East Row. *Chich* —3E **7**
E. Strand. *W Wit* —3A **8**
East St. *Chich* —3E **7**
East St. *Lit* —2F **27**
East St. *Sel* —4C **10**
East Wlk. *E Pre* —3F **29**
East Walls. *Chich* —3E **7**
E. Walls Clo. Chich —3E **7**
(off Priory Rd.)
East Way. *Sel* —4E **11**
E. Wittering Bus. Cen. *E Wit*
—3F **9**
Eaton Clo. *Bog R* —1G **15**
Edinburgh Clo. *Bog R* —3G **15**
Edwards Way. *Wick* —5E **23**
Edwen Clo. *Bog R* —2D **14**
Eels Cross. *Sel* —3A **10**
Elbridge Cres. *Bog R* —3E **15**
Elcombe Clo. *Bra B* —6H **9**
Eldon Way. *Wick* —1D **26**
Eleanor Gdns. *Bog R* —4C **18**
Elfin Gro. *Bog R* —5C **16**
Elfin M. *Bog R* —5C **16**
Elizabeth Av. *Bog R* —1E **15**
Elizabeth Clo. *Bog R* —2E **15**
Elizabeth Rd. *Chich* —2H **7**
Ella Clo. *W Wit* —4D **8**
Ellanore La. *W Wit* —1A **8**
Ellasdale Rd. *Bog R* —5C **16**
Ella Ter. *Pol* —1C **24**
Ellis Clo. *Arun* —5B **20**
Ellis Way. *Bog R* —5C **14**
Elm Clo. *Bog R* —4C **14**
Elm Clo. *Bra B* —5G **9**
Elmcroft Pl. *Wes* —3A **12**

Elm Dale. *Bar* —3D **12**
Elm Dri. *Bog R* —4G **19**
Elmer Clo. *Bog R* —4G **19**
Elmer Ct. *Bog R* —4H **19**
Elmer Rd. *Bog R* —4D **18**
Elm Gro. *Bar* —2D **12**
Elm Gro. *Bog R* —5B **16**
Elm Gro. *Sel* —4C **10**
Elmgrove Rd. *Lit* —1G **27**
Elm Gro. S. *Bar* —3D **12**
Elmhurst Clo. *Ang* —3G **25**
Elm Pk. *Bosh* —3C **4**
Elm Pl. *Rust* —1D **28**
Elm Rd. *Wes* —2A **12**
Elms Fld. *Sel* —4C **10**
Elms La. *W Wit* —2B **8**
Elms Ride. *W Wit* —2B **8**
Elms Way. *W Wit* —1B **8**
Elmstead Gdns. *W Wit* —1B **8**
Elmstead Pk. Rd. *W Wit* —1B **8**
Elm Tree Clo. *Sel* —3D **10**
Elmwood Av. *Bog R* —3E **17**
Elspring Mead. *Wick* —6E **23**
Ely Clo. *W Wit* —3E **9**
Ely Gdns. *Bog R* —2F **15**
Ensign Way. *Lit* —1A **28**
Epsom Gdns. *Rust* —1E **29**
Esher Clo. *Bog R* —3D **14**
Esher Dri. *Lit* —2H **27**
Esmonde Clo. *Lit* —1H **27**
Esplanade, The. *Bog R* —6D **16**
Esplanade, The. *Fel* —5G **17**
Essex Rd. *Bog R* —3D **16**
Estuary, The. *Lit* —2H **27**
Eton Dri. *W Wit* —4E **9**
Ettrick Clo. *Chich* —4F **7**
Ettrick Rd. *Chich* —4E **7**
Evans Pl. *Bog R* —2E **17**
Evelyn Av. *Rust* —3D **28**
Everson Mt. *Bog R* —2B **16**
Ewens Gdns. *Bar* —2D **12**
Exell La. *Chich* —3H **7**
Exeter Clo. *Bog R* —2H **15**
Exeter Rd. *Chich* —6C **2**
Exton Rd. *Chich* —5E **7**

Fairfield Clo. *Bosh* —4C **4**
Fairfield Rd. *Bosh* —4B **4**
Fairholme Dri. *Yap* —6G **13**
Fairlands. *Bog R* —2B **16**
Fairlands. *E Pre* —2F **29**
Fairlawn. *Rust* —1C **28**
Fairlead. *Lit* —3H **27**
Fairway. *Lit* —3H **27**
Fairway, The. *Bog R* —5D **14**
Falcon Gdns. *Wick* —5E **23**
Falkland Av. *Lit* —1H **27**
Falklands Clo. *Bog R* —3E **17**
Faresmead. *Bog R* —3H **15**
Farm Acre. *E Pre* —1H **29**
Farm Clo. *Bog R* —4G **19**
Farm Clo. *Chich* —3G **5**
Farm Corner. *Bog R* —4F **19**
Farm Rd. *Bra B* —6G **9**
Farm Way. *Rust* —2B **28**
Farndell Clo. *Chich* —2G **7**
Farnhurst Rd. *Bar* —3E **13**
Faroes, The. *Lit* —1A **28**
Fastnet Way. *Lit* —1A **28**
Fatting Ground La. *Bar* —6D **12**
Felpham Gdns. *Bog R* —4A **18**
Felpham Rd. *Bog R* —5G **17**
Felpham Way. *Bog R* —4F **17**
Ferndale Rd. *Chich* —5E **3**
Ferndale Wlk. *Ang* —3G **25**
Ferndown Gdns. *Bog R* —3H **17**

Fernhurst Gdns. *Bog R* —3F **15**
Ferring Gdns. *Bog R* —3H **17**
Ferry Rd. *Lit* —3C **26**
Festival Ct. *Chich* —2D **6**
Field Clo. *Walb* —1G **13**
Field Pl. *Lit* —2F **27**
Field Rd. *E Wit* —4F **9**
Fincham Clo. *E Pre* —2F **29**
Finches Clo. *Wick* —5E **23**
Finch Gdns. *Bog R* —1C **16**
Findon Dri. *Bog R* —3C **18**
Finisterre Way. *Lit* —3A **28**
Fircroft Cres. *Rust* —1D **28**
Firs Av. *Bog R* —4A **18**
Firs Av. W. *Bog R* —4A **18**
First Av. *Bra B* —6G **9**
First Av. *Fel* —5A **18**
First Av. *Mid S* —3E **19**
Fir Tree Way. *Bog R* —1D **16**
Fishbourne Rd. E. *Chich* —3H **5**
Fishbourne Rd. W. *Chich* —3H **5**
Fishermans Wlk. *Bog R* —4F **15**
Fishermans Wlk. *Sel* —5E **11**
Fishers Clo. *Lit* —3A **28**
Fish La. *Bog R* —3H **15**
Fish La. *Sel* —3A **10**
Fittleworth Dri. *Bog R* —3B **18**
Fittleworth Garden. *Rust*
—2C **28**
Fitzalan Rd. *Arun* —6C **20**
Fitzalan Rd. *Lit* —3G **27**
Fitzwilliam Clo. *Bog R* —1H **15**
Flansham La. *Bog R* —4B **18**
Flansham Pk. *Bog R* —3B **18**
Flaxman Av. *Chich* —3B **6**
Flax Mean. *Bog R* —4A **18**
Flax Mean Ho. *Bog R* —4A **18**
Fleet Clo. *Lit* —1A **28**
Fletcher Clo. *Bog R* —3D **14**
Fletcher Way. *Ang* —3F **25**
Fletcher Way. *Bog R* —4D **16**
Flint Clo. *E Pre* —1F **29**
Florence Rd. *Chich* —3G **7**
Follett Clo. *Bog R* —3G **15**
Follis Gdns. *Chich* —2H **5**
Fontwell Av. *East* —1B **12**
Fontwell Clo. *Rust* —3B **28**
Fontwell Rd. *Sel* —3F **11**
Ford Airfield Ind. Est. *Ford*
—5H **13**
Ford Ho. Cvn. Pk. *Ford* —4A **22**
Ford La. *Ford* —5A **22**
Ford Rd. *Ford* —6A **22**
Fordwater Gdns. *Yap* —6H **13**
Fordwater La. *Chich* —5E **3**
Fordwater Rd. *Chich* —5E **3**
Fordwater Rd. *E Lav* —2E **3**
(in two parts)
Forge Clo. *Chich* —6C **6**
Forge Clo. *E Pre* —1F **29**
Forsters Yd. *Lit* —2D **26**
Fort Rd. *Wick* —1E **27**
Fort Rd. Ind. Est. *Clim* —1D **26**
Fosters Clo. *E Pre* —3E **29**
Fosters Lodge. *E Pre* —3E **29**
Foundry Rd. *Yap* —5F **13**
Fourth Av. *Bog R* —5B **18**
Foxdale Dri. *Ang* —5F **25**
Foxes Clo. *Rust* —5B **24**
Foxes Croft. *Bar* —3F **13**
Foxglove Way. *Rust* —6A **24**
Foxwarren Clo. *W Wit* —4E **9**
Framptons, The. *E Pre* —2H **29**
Franciscan Way. *Lit* —2F **27**
Frandor Rd. *Bog R* —3A **16**
Franklin Pl. *Chich* —2E **7**
Fraser Clo. *Sel* —5E **11**

Fraser Ri. *Sel* —4D **10**
Frederick Rd. *Chich* —3A **6**
Freeways. *Sel* —3B **10**
Freya Clo. *Bog R* —4E **19**
Friary Clo. *Bog R* —4D **18**
Friary La. *Chich* —3E **7**
Frith Rd. *Bog R* —4B **16**
Frobisher Rd. *Bog R* —3E **15**
Frobisher Way. *Rust* —3E **29**
Fullers Wlk. *Wick* —4F **23**
Furse Feld. *Bog R* —6B **16**
Furzedown. *Lit* —3G **27**
Furzefield. *W Wit* —3E **9**
Furzefield Clo. *Ang* —3F **25**

Gainsboro Rd. *Bog R* —5D **16**
Gainsborough Dri. *Sel* —4D **10**
Garden Av. *Bra B* —5G **9**
Garden Clo. *Ang* —3G **25**
Garden Cottage. *Bosh* —4B **4**
Garden Ct. *Bog R* —3G **15**
Garden Cres. *Bar* —4F **13**
Garland Clo. *Chich* —4F **7**
Gaugemaster Way. *Ford* —4A **22**
Genoa Clo. *Lit* —1A **28**
George Cotts. *E Pre* —3H **29**
George IV Wlk. *Bog R* —3H **17**
George St. *Chich* —2E **7**
Georgian Gdns. *Rust* —1E **29**
Gibson Way. *Bog R* —4E **17**
Gifford Rd. *Bosh* —2C **4**
Gilbert Rd. *Chich* —1C **6**
Gilberts, The. *Rust* —4A **28**
Giles Clo. *Yap* —6F **13**
Gillway. *Sel* —3F **11**
Gilmore Rd. *Chich* —3G **7**
Gilpin Clo. *Chich* —3H **5**
Gilwynes. *Bog R* —3H **15**
Gilwynes Ct. *Bog R* —3H **15**
Glade, The. *Bog R* —5C **14**
Gladonian Rd. *Wick* —6F **23**
Gladstone Rd. *Yap* —6F **13**
Gladstone Ter. *Wick* —6F **23**
Glamis Ct. *Bog R* —5E **17**
Glamis St. *Bog R* —5E **17**
Glencathara Rd. *Bog R* —5C **16**
Glen Cres. *Sel* —4D **10**
Glenelg Clo. *Bog R* —2A **16**
Glenville Rd. *Rust* —3C **28**
Glenway. *Bog R* —4E **17**
Glenwood Av. *Bog R* —4E **17**
Globe Pl. *Wick* —6F **23**
Gloster Dri. *Bog R* —4D **14**
Gloucester La. *Lit* —2F **27**
Gloucester Pl. *Lit* —2F **27**
Gloucester Rd. *Bog R* —5F **17**
Gloucester Rd. *Lit* —2E **27**
Gloucester Way. *Chich* —6D **2**
Glynde Cres. *Bog R* —3H **17**
Goatlands Cvn. Pk. *Sel* —3B **10**
Goda Rd. *Lit* —2G **27**
Godman Clo. *Bog R* —2F **15**
Godwin Way. *Chich* —1G **5**
Goldcrest Av. *Wick* —5E **23**
Golden Acre. *Bog R* —5C **14**
Golden Acre. *E Pre* —3H **29**
Golden Av. *E Pre* —1H **29**
Golden Av. Clo. *E Pre* —3H **29**
Golfers La. *Ang* —6D **24**
Golf Links La. *Sel* —1B **10**
Golf Links Rd. *Bog R* —2G **17**
(in two parts)
Goodacres. *Bar* —4F **13**
Goodhew Clo. *Yap* —5G **13**
Goodwood Av. *Bog R* —3G **17**
Goodwood Clo. *Rust* —1E **29**

Goodwood Motor Circuit. *Good*
—4G **3**
Gordon Av. *Bog R* —4E **17**
(in two parts)
Gordon Av. *Chich* —6C **6**
Gordon Av. W. *Bog R* —3E **17**
Gordon Ter. *Pol* —1C **24**
Gorse Av. *Bog R* —3C **18**
Gosden Rd. *Lit* —1H **27**
Gospond Rd. *Bar* —4E **13**
Gossamer La. *Bog R* —2F **15**
Goy Vs. *Lit* —3H **27**
Graffham Clo. *Chich* —4E **3**
Grafton Av. *Bog R* —3B **18**
Grafton Clo. *Rust* —1C **28**
Grafton Rd. *Sel* —6D **10**
(in two parts)
Graham Rd. *Yap* —6F **13**
Granary La. *Sel* —3C **10**
Granary Way. *Wick* —5F **23**
Grand Av. *Wick* —6E **23**
Grange Ct. *Bog R* —4G **15**
Grange Field Way. *Bog R*
—3F **15**
Grange La. *Sel* —1F **11**
Grangeway, The. *Rust* —2C **28**
Grangewood Dri. *Bog R* —3F **15**
Grant Clo. *Sel* —4C **10**
Granville Rd. *Lit* —3G **27**
Grassmere Clo. *Bog R* —4G **17**
Grassmere Clo. *Lit* —6A **24**
Gravel La. *Chich* —4G **7**
Gravits La. *Bog R* —3B **16**
Graydon Av. *Chich* —5C **6**
Graylingwell Cotts. *Chich* —5E **3**
Grayswood Av. *Bra B* —5G **9**
Greenacres Ring. *Ang* —3G **25**
Green Bank. *Bar* —4F **13**
Greenbushes Clo. *Rust* —3B **28**
Greencourt Dri. *Bog R* —3B **16**
Greenfield Rd. *Chich* —1G **7**
Greenfields. *Wick* —6D **22**
Green La. *Bosh* —3C **4**
(nr. Delling La.)
Green La. *Bosh* —1A **4**
(nr. Newells La.)
Green La. *Chich* —2F **7**
Green La. *Sel* —5C **10**
Green La. Clo. *Arun* —5B **20**
Green Lawns Cvn. Pk. *Sel*
—3C **10**
Greenlea Av. *Bog R* —3D **14**
Green, The. *Bog R* —5C **14**
Green Way. *Mid S* —4E **19**
Greenways. *Pag* —4D **14**
Greenwood Av. *Bog R* —2C **16**
Greenwood Clo. *Bog R* —2C **16**
Greenwood Dri. *Ang* —5F **25**
Grenville Gdns. *Chich* —5D **6**
Grevatt's La. *Yap* —2E **19**
(in two parts)
Grevatt's La. W. *Yap* —1E **19**
Greyfriars Clo. *Bog R* —2H **15**
Greynville Clo. *Bog R* —3E **15**
Greystone Av. *Bog R* —1A **16**
Griffin Cres. *Wick* —5F **23**
Grosvenor Gdns. *Bog R* —2E **15**
Grosvenor Rd. *Chich* —5D **6**
Grosvenor Way. *Bog R* —2E **15**
Grove Cres. *Lit* —1G **27**
Grove Pk. *Chich* —3B **6**
Grove Rd. *Chich* —4F **7**
Grove Rd. *Sel* —5D **10**
Grove, The. *Bog R* —4H **17**
Guernsey Farm La. *Bog R*
—4B **18**
Guilden Rd. *Chich* —3F **7**

Guildford Pl. *Chich* —6D **2**
Guildford Rd. *Rust* —1E **29**
Guildhall St. *Chich* —2E **7**
Gunwin Ct. *Bog R* —3F **15**

Hacketts Rew. *Chich* —3E **3**
Hadlands. *Bog R* —4C **14**
Hadley Clo. *Bog R* —3D **18**
Hailsham Clo. *E Pre* —6H **25**
Hale Clo. *E Wit* —5G **9**
Hales Footpath. *Bog R* —3H **17**
Halfrey Clo. *Chich* —2G **5**
Halfrey Rd. *Chich* —2G **5**
Halliford Dri. *Bar* —3F **13**
Halliwick Gdns. *Bog R* —5A **18**
Hall Yd. *Bog R* —4F **19**
Halnaker Gdns. *Bog R* —3E **15**
Hambledon Pl. *Bog R* —5C **16**
Hamilton Clo. *Rust* —6B **24**
Hamilton Dri. *Rust* —6B **24**
Hamilton Gdns. *Bog R* —3F **15**
Hamilton Gdns. *Bosh* —2C **4**
Ham Mnr. Clo. *Ang* —5E **25**
Ham Mnr. Way. *Ang* —5E **25**
Hampden Clo. *Bog R* —4E **19**
Hampshire Av. *Bog R* —3C **16**
Hampton Ct. *Bog R* —1H **15**
Hampton Fields. *Wick* —1F **27**
Hannah Sq. *Chich* —2B **6**
Hanover Clo. *Sel* —4E **11**
Harberton Cres. *Chich* —4D **2**
Harbour Ct. *Bosh* —4C **4**
Harbour Rd. *Bog R* —6B **14**
Harbour Rd. *Bosh* —5B **4**
Harbour Vw. Rd. *Bog R* —5C **14**
Harbour Way. *Bosh* —5C **4**
Harcourt Way. *Sel* —3E **11**
Hardham Clo. *Rust* —3B **28**
Hardham Rd. *Chich* —4F **7**
Hard, The. *Bog R* —4H **19**
Hardy Clo. *Bog R* —4C **18**
Harebell Clo. *Rust* —6B **24**
Harefield Gdns. *Bog R* —4E **19**
Harefield Rd. *Bog R* —4E **19**
Hare La. *Sel* —3A **10**
Harmony Dri. *Bra B* —6G **9**
Harrow Dri. *W Wit* —4E **9**
Harsfold Clo. *Rust* —3B **28**
Harsfold Rd. *Rust* —4B **28**
Harting Rd. *Wick* —6F **23**
Hartings, The. *Bog R* —3C **18**
Hartnells Cotts. Rust —2B **28**
(off Sea La.)
Harwood Ind. Est. *Wick* —1E **27**
Harwood Rd. *Lit* —2E **27**
Hastings Clo. *Bog R* —1H **15**
Hatchard Pl. *Chich* —5E **3**
Hatherleigh Clo. *Bog R* —3B **16**
Hatherleigh Gdns. *Bog R*
—3B **16**
Havelock Clo. *Bog R* —5G **17**
Havelock Rd. *Bog R* —4D **16**
Havenstoke Clo. *Chich* —6E **3**
Haven, The. *Lit* —2A **28**
(in two parts)
Haywards Clo. *Bog R* —3H **17**
Hawke Clo. *Rust* —2E **29**
Hawkins Clo. *Bog R* —3D **14**
Hawks Pl. *Bog R* —2C **16**
Hawley Rd. *Rust* —3B **28**
Hawthorn Clo. *Chich* —2D **6**
Hawthorn Clo. *Rust* —3C **28**
Hawthorn Rd. *Bog R* —5B **16**
Hawthorn Rd. *Wick* —5E **23**
Haydon Clo. *Bog R* —4E **15**
Hayley's Gdns. *Bog R* —4H **17**

Hay Rd. *Chich* —5F **7**
Hazel Gro. *Arun* —5A **20**
Hazel Gro. *Bog R* —2F **15**
Hazelmead Dri. *E Pre* —2G **29**
Hazel Rd. *Bog R* —2C **16**
Hearn Field Rd. *Wick* —5F **23**
Hearn M. *Chich* —1D **6**
Heather Ct. *Chich* —4D **6**
Heathfield Av. *E Pre* —6F **25**
Heath Pl. *Bog R* —1E **17**
Hechle Wood. *Bog R* —3H **15**
Hedge End. *Bar* —3F **13**
Hedgeway. *Bog R* —4C **18**
Heghbrok Way. *Bog R* —6B **16**
Helyer's Grn. *Wick* —1E **27**
Hendon Av. *Rust* —4A **28**
Hendy Gdns. *Arun* —5C **20**
Henfield Way. *Bog R* —3C **18**
Henry Av. *Rust* —2A **28**
Henry Clo. *Chich* —3H **7**
Henry St. *Bog R* —4E **17**
Henty Clo. *Walb* —1H **13**
Henty Gdns. *Chich* —3C **6**
Heo Grn. *Wick* —6D **22**
Herald Dri. *Chich* —4E **7**
Hercules Pl. *Bog R* —4C **18**
Hereford Clo. *Chich* —6D **2**
Herington Rd. *Arun* —5B **20**
Heritage, The. *Chich* —3F **7**
Herne Gdns. *Rust* —1D **28**
Herne La. *Rust* —1D **28**
Heron Clo. *Bog R* —1C **16**
Heron Clo. *Sel* —3A **10**
Heron Ct. *Chich* —2H **7**
Heron Ct. *Rust* —3C **28**
Heron Mead. *Bog R* —6B **14**
Hersee Way. *Sel* —4B **10**
Hertford Clo. *Bog R* —2H **15**
Heston Gro. *Bog R* —4E **15**
Hewarts La. *Bog R* —2F **15**
Hide Gdns. *Rust* —1B **28**
Highcroft Av. *Bog R* —3E **17**
Highcroft Clo. *Bog R* —3F **17**
Highcroft Cres. *Bog R* —3F **17**
Highdown Dri. *Wick* —6G **23**
Highfield. *Wick* —6D **22**
Highfield Clo. *Ang* —4G **25**
Highfield Gdns. *Bog R* —3E **17**
Highfield Gdns. *Rust* —2B **28**
Highfield Rd. *Bog R* —3E **17**
Highgate Dri. *Bog R* —2A **16**
Highground La. *Bar* —5D **12**
Highland Av. *Bog R* —4C **16**
Highland Rd. *Chich* —5D **2**
High Ridge Clo. *Arun* —6B **20**
High St. Angmering, *Ang* —4F **25**
High St. Arundel, *Arun* —4D **20**
High St. Bognor Regis, *Bog R*
—5E **17**
High St. Bosham, *Bosh* —5A **4**
High St. Chichester, *Chich*
—1D **6**
High St. Littlehampton, *Lit*
—2F **27**
High St. Selsey, *Sel* —4C **10**
High Trees. *Bog R* —3H **15**
Highview Rd. *East* —2C **12**
Hilary Rd. *Chich* —2C **6**
Hillfield Rd. *Sel* —6C **10**
Hill La. *Bar* —5E **13**
Hill Rd. *Lit* —1G **27**
Hillsboro Rd. *Bog R* —4D **16**
Hillside Cres. *Ang* —4G **25**
Hill Ter. *Arun* —5B **20**
Hillview Cres. *E Pre* —1G **29**
Hilton Pk. *E Wit* —3F **9**
Hinde Rd. *Bog R* —4B **18**

Hislop Wlk. *Bog R* —5E **17**
Hobbs Way. *Rust* —2C **28**
Hoe La. *Bog R* —1H **17**
 (in two parts)
Holdens Cvn. Pk. *Bra B* —4H **9**
Holdens, The. *Bosh* —4A **4**
Holford Grn. *Sel* —3E **11**
Holland Clo. *Bog R* —3A **16**
Hollies, The. *Bog R* —3A **16**
Holly Ct. *Bog R* —2D **16**
Holly Dri. *Wick* —5G **23**
Hollyhock Way. *Rust* —6A **24**
Holmes La. *Rust* —3B **28**
Holmwood Clo. *W Wit* —2B **8**
Homefield Av. *Bog R* —3B **18**
Homefield Clo. *Rust* —1C **28**
Homefield Cres. *Walb* —1G **13**
Homelands Av. *E Pre* —3G **29**
Homing Gdns. *Bog R* —1C **16**
Honer La. *S Mun* —1A **14**
Honey La. *Ang* —4G **25**
Honeysuckle Clo. *Rust* —6A **24**
Hooe, The. *Lit* —2A **28**
Hook La. *Ald* —3A **12**
Hook La. *Bog R* —4E **17**
Hook La. *Bosh* —6E **5**
Hook La. *R Grn* —3C **14**
 (in two parts)
Hook La. Clo. *R Grn* —2D **14**
Hopgarton, The. *Bog R* —2G **15**
Hornbeam Clo. *Bog R* —3H **15**
Hornet Enterprise Cen., The.
  Chich —3F **7**
Hornet, The. *Chich* —3F **7**
Horns La. *Bog R* —4B **14**
Horsefield Rd. *Sel* —4C **10**
Horsemere Grn. La. *Clim*
  —2A **26**
Horse Shoe, The. *Sel* —4C **10**
Horsham Rd. *Lit* —2H **27**
Horsham Rd. W. *Lit* —1H **27**
Hotham Gdns. *Bog R* —4F **17**
Hotham Way. *Bog R* —4E **17**
Howard Av. *W Wit* —4C **8**
Howard Ho. *Bog R* —4B **16**
Howard Pl. *Lit* —2F **27**
Howard Rd. *Arun* —5B **20**
Howard Rd. *Lit* —2E **27**
Howards Way. *Rust* —4B **28**
Huddlestones. *Ang* —4F **25**
Hudson Dri. *Rust* —3D **28**
Hughes Clo. *Bog R* —1H **15**
Humber Clo. *Lit* —3H **27**
Hundredsteddle La. *Bir* —1H **9**
Hunters Clo. *Bog R* —4E **15**
Hunters Race. *W Lav* —4B **2**
Hunters Way. *Chich* —4D **2**
Hurst Rd. *E Pre* —1E **29**
Hutchinson Clo. *Rust* —6B **24**

Icarus Way. *Bog R* —4B **18**
Ilex Clo. *Rust* —3C **28**
Ilex Way. *Bog R* —3D **18**
Infirmary Ter. *Chich* —1D **6**
Inglewood Clo. *Bog R* —4E **15**
Inglewood Dri. *Bog R* —4D **14**
Ingram Clo. *Rust* —2B **28**
Innerwyke Clo. *Bog R* —4A **18**
Iris Clo. *Rust* —6B **24**
Irvine Rd. *Lit* —3F **27**
Island La. *Sel* —3A **10**
Island Loop. *Sel* —3A **10**
Ivanhoe Pl. *Bog R* —4B **18**
Ivy Clo. *Wes* —2A **12**
Ivy Cres. *Bog R* —3E **17**
Ivydale Rd. *Bog R* —4B **16**

Ivy La. *Bog R* —3E **17**
Ivy La. *Wes* —2A **12**

Jacken Clo. *Bog R* —5B **18**
James St. *Sel* —5D **10**
Jarvis Rd. *Arun* —5B **20**
Jasmine Clo. *Rust* —6A **24**
Jays Clo. *Lit* —1F **27**
Jays, The. *Lit* —1F **27**
Jeffreys Av. *Chich* —6E **3**
Jervis Av. *Rust* —3D **28**
Jib Clo. *Lit* —6A **24**
John Arundel Rd. *Chich* —2C **6**
Johnson Way. *Ford* —5H **13**
John St. *Bog R* —5E **17**
Joliffe Rd. *W Wit* —4C **8**
Jones Sq. *Sel* —5D **10**
Joyce Clo. *Wick* —6E **23**
Joys Croft. *Chich* —2F **7**
Jubilee Av. *Rust* —1C **28**
Jubilee Pde. *Bog R* —4F **19**
Jubilee Rd. *Chich* —2E **7**
Jubilee Ter. *Chich* —2E **7**
Junction Clo. *Ford* —6H **13**
June Clo. *Bog R* —5B **14**
Juniper Clo. *Bog R* —3D **18**
Juxon Clo. *Chich* —4E **7**

Keats Wlk. *Bog R* —5C **16**
Keble Clo. *Bog R* —2H **15**
Keelson Way. *Lit* —1A **28**
Keepers Wood. *Chich* —4D **2**
Kendal Clo. *Lit* —6A **24**
Kenhurst. *E Pre* —2G **29**
Kenilworth Rd. *Bog R* —4B **16**
Kenlegh. *Bog R* —3H **15**
Kensington Rd. *Chich* —3G **7**
Kent Rd. *Chich* —2F **7**
Kent Rd. *Lit* —1F **27**
Kestrel Clo. *E Wit* —5F **9**
Kestrel Ct. *Bog R* —6B **14**
Kestrel Ct. *Chich* —2H **7**
Kestrel Way. *Wick* —5E **23**
Ketch Rd. *Lit* —3A **28**
Kew Gdns. *Bog R* —1H **15**
Kidd Rd. *Chich* —6F **3**
Kilnwood Clo. *Sel* —4E **11**
Kilwich Clo. *Bog R* —3C **18**
Kimberry. *Wick* —6E **23**
Kimbridge Rd. *E Wit* —5F **9**
Kingfisher Ct. *Bog R* —4E **19**
King George Gdns. *Chich* —1D **6**
Kings Arms Hill. *Arun* —5D **20**
Kings Av. *Chich* —5D **6**
Kings Clo. *Yap* —5F **13**
Kings Ct. *Bog R* —4C **16**
Kings Ct. *Sel* —3D **10**
King's Dri. *Bog R* —4D **14**
Kingsham Av. *Chich* —4F **7**
Kingsham Rd. *Chich* —4E **7**
Kingsmead. *Bog R* —4G **17**
Kingsmead. *Wick* —4E **23**
Kingsmead Gdns. *Bog R* —3F **19**
Kingsmead Rd. *Bog R* —4F **19**
Kingsmill Rd. *Bar* —3F **13**
King's Pde. *Bog R* —6B **16**
Kingston La. *E Pre* —1H **29**
King St. *Arun* —4C **20**
Kingsway. *Bog R* —4F **15**
Kingsway. *Sel* —5E **11**
Kirdford Clo. *Rust* —3B **28**
Kirdford Rd. *Arun* —5C **20**
Kirkland Clo. *Rust* —2B **28**
Kithurst Clo. *E Pre* —3E **29**
Knap La. *Sel* —4C **10**

Knightscroft Av. *Rust* —3C **28**
Knightscroft Clo. *Rust* —3B **28**
Kynon Gdns. *Bog R* —3C **18**
Kyoto Ct. *Bog R* —5B **16**

Laburnum Gro. *Bog R* —2D **16**
Laburnum Gro. *Chich* —4E **7**
Laburnum Wlk. *Rust* —1B **28**
Lacey Ho. *Chich* —4D **6**
Lacock Clo. *Bra B* —6H **9**
Lagoon Rd. *Bog R* —6B **14**
Lake La. *Bar* —3F **13**
Lake Rd. *Chich* —3G **7**
Lake View. *Bog R* —4C **14**
Lammas Clo. *Wick* —6G **23**
Lamorna Gdns. *Wes* —3A **12**
Lancaster Pl. *Bog R* —2D **16**
Lancastrian Grange. *Chich*
  —3D **6**
Landerry Ind. Est., The. *Sel*
  —3C **10**
Landseer Dri. *Sel* —4E **11**
Lane End Rd. *Bog R* —4F **19**
Lane, The. *Chich* —5E **3**
Langdale Av. *Chich* —5F **7**
Langley Gro. *Bog R* —4E **15**
Langton Clo. *Sel* —5C **10**
Langton Rd. *Chich* —2C **6**
Lansdowne Clo. *Ang* —3F **25**
Lansdowne Rd. *Ang* —4F **25**
Lansdowne Rd. *Wick* —6F **23**
Lansdowne Way. *Ang* —3F **25**
Lanyards. *Lit* —6A **24**
Larch Clo. *Bog R* —1D **16**
Larch Clo. *Chich* —5D **2**
Larch Clo. *Rust* —1D **28**
Larchfield Clo. *Bog R* —4F **15**
Large Acres. *Sel* —4C **10**
Larkspur Clo. *Rust* —6A **24**
Lashmar Rd. *E Pre* —1G **29**
Latham Rd. *Sel* —5C **10**
Laurel Gro. *Bog R* —2D **16**
Lavant Rd. *Lav & Chich* —1D **2**
Lavant Straight. *E Lav* —2F **3**
Lavender Clo. *Bog R* —3D **18**
Lavinia Way. *E Pre* —2G **29**
Lawns, The. *E Pre* —3G **29**
Lawn, The. *Bog R* —3G **15**
Lawrence Av. *Rust* —1D **28**
Lawrence Clo. *Sel* —5D **10**
Layne, The. *Bog R* —4F **19**
Leaman Clo. *Bog R* —4E **19**
Leander Rd. *Bosh* —4C **4**
Leas Ct. *Bog R* —3D **16**
Leas, The. *Rust* —6E **25**
Leatherbottle La. *Chich* —3G **7**
Ledbury Way. *Bog R* —3D **14**
Ledra Dri. *Bog R* —5D **14**
Leecroft. *Bog R* —3G **15**
Leeward Rd. *Lit* —2A **28**
Legion Way. *E Wit* —5F **9**
Leigh Rd. *Chich* —4D **6**
Leinster Gdns. *Bog R* —5C **18**
Lennox Rd. *Chich* —2F **7**
Lennox St. *Bog R* —6E **17**
Leonora Dri. *Bog R* —3D **14**
Leopold Clo. *Bog R* —3H **17**
Leverton Av. *Bog R* —4C **18**
Lewes Clo. *Bog R* —1H **15**
Lewis La. *Ford* —5H **13**
Lewis Rd. *Chich* —2F **7**
Lewis Rd. *Sel* —4C **10**
Ley Rd. *Bog R* —4A **18**
Lichfield Gdns. *Bog R* —2G **15**
Lidsey Farm Cvn. Camp.
  Bog R —6A **12**

Lidsey Rd. *Wood & Bog R*
  —4A **12**
Lifeboat Way. *Sel* —6D **10**
Lilac Clo. *Bog R* —3D **18**
Lilac Clo. *Rust* —6A **24**
Lillian Ter. *Pol* —1C **24**
Lime Clo. *Chich* —2F **7**
Lime Gro. *Ang* —5F **25**
Limes, The. *Yap* —5F **13**
Limetree Clo. *E Pre* —1F **29**
Limmard Way. *Bog R* —5B **18**
Limmer La. *Bog R* —4H **17**
Lincoln Av. *Bog R* —1E **15**
Lincoln Grn. *Chich* —6D **2**
Linden Pk. *Lit* —2E **27**
Linden Rd. *Bog R* —4C **16**
Linden Rd. *Lit* —2E **27**
Lindsey Ct. *Bog R* —2H **17**
Lineside Ind. Est. *Clim* —1D **26**
Lineside Way. *Wick* —1D **26**
Lingfield Way. *Sel* —4D **10**
Links Av. *Bog R* —4G **17**
Link Way. *Bog R* —4C **14**
Lionel Av. *Bog R* —3B **18**
Lion Rd. *Bog R* —3C **14**
Lion St. *Chich* —3E **7**
Litten Ter. *Chich* —2E **7**
Lit. Babbsham. *Bog R* —3G **15**
Lit. Breach. *Chich* —6D **2**
Littlefield Clo. *Sel* —4D **10**
Littlefield Rd. *Chich* —4F **7**
Littlehampton By-Pass. *Wick*
  —6D **22**
Littlehampton Rd. *Fer* —6H **25**
Lit. High St. *Bog R* —6D **16**
Lit. London. *Chich* —3E **7**
Lizard Head. *Lit* —1A **28**
Lloyd Goring Clo. *Ang* —3F **25**
Loats La. *Bog R* —1A **16**
Lobster La. *Sel* —3A **10**
Locksash Clo. *W Wit* —1A **8**
Lodge Clo. *Bog R* —4F **19**
Lodge Ct. *Bog R* —3G **15**
Lodsworth Rd. *Bog R* —2D **14**
London Rd. *Arun* —1A **20**
London Rd. *Bog R* —5E **17**
Longacre. *Sel* —5C **10**
Longacre La. *Sel* —5C **10**
Longbrook. *Sel* —5G **17**
Longford Rd. *Bog R* —5D **16**
Longlands Rd. *E Wit* —5E **9**
Longport Rd. *Bog R* —5A **18**
Longships. *Lit* —1A **28**
Loop, The. *Bog R* —5B **18**
Loudoun Rd. *Lit* —2E **27**
Lovells Clo. *Bog R* —3D **14**
Loveys Rd. *Yap* —6F **13**
Lower Bognor Rd. *Lag & Bog R*
  —1F **15**
Lwr. Hone La. *Bosh* —6A **4**
Lower Rd. *E Lav* —2E **3**
Loxwood. *E Pre* —6H **25**
Lucerne Ct. *Bog R* —3G **15**
Lucking La. *Bog R* —4E **19**
Ludlow Clo. *Bog R* —3G **15**
Lundy Clo. *Lit* —3A **28**
Lupin Clo. *Rust* —6A **24**
Lyminster Clo. *Lym* —3F **23**
Lyminster Rd. *Wick* —5F **23**
Lyndhurst Rd. *Chich* —4F **7**
Lyon St. *Bog R* —5E **17**
Lyon St. W. *Bog R* —5D **16**

Mackeral La. *Sel* —3A **10**
Macklin Rd. *Bog R* —4F **17**
McNair Clo. *Sel* —3C **10**

Madehurst Clo. *E Pre* —3E **29**
Madehurst Way. *Lit* —1F **27**
Madeira Av. *Bog R* —4F **17**
Madgwick La. *Westh* —6H **3**
Magpie La. *Sel* —2A **10**
Main Dri. *Bog R* —4E **19**
Main Rd. *Bosh* —2A **4**
Main Rd. *Yap* —5F **13**
Malden Way. *Sel* —4C **10**
Malin Rd. *Lit* —2A **28**
Mallard Cres. *Bog R* —6B **14**
Mallon Dene. *Rust* —3C **28**
Malmayne Ct. *Bog R* —2H **15**
Malthouse Clo. *Arun* —5C **20**
Malthouse Pas. *Wick* —1F **27**
Malthouse Rd. *Sel* —4D **10**
Maltings, The. *Chich* —3D **6**
Maltravers Dri. *Lit* —3G **27**
Maltravers Rd. *Lit* —3G **27**
Maltravers St. *Arun* —4D **20**
Malvern Way. *Bog R* —4D **14**
Manet Sq. *Bog R* —2C **16**
Manning Rd. *Chich* —1G **7**
Manning Rd. *Wick* —6E **23**
Manor Clo. *Bog R* —4H **17**
Manor Clo. *Chich* —6D **6**
Manor Clo. *E Pre* —2F **29**
Manor Farm Clo. *Sel* —3D **10**
Manor Farm Ct. *Sel* —3D **10**
Manor Gdns. *Rust* —2B **28**
Manor La. *Sel* —3E **11**
Manor Pk. *Bog R* —4C **14**
Manor Pl. *Bog R* —6D **16**
Manor Rd. *E Pre* —3G **29**
Manor Rd. *Rust* —1B **28**
Manor Rd. *Sel* —4D **10**
Manor Vs. *Bosh* —4C **4**
Manor Way. *Aldw* —4D **14**
Manor Way. *Elmer* —4G **19**
Mansergh Rd. *Chich* —6F **3**
Mansfield Rd. *Bog R* —3C **16**
Mantling Rd. *Lit* —1F **27**
Manton Clo. *Bra B* —6H **9**
Maple Clo. *Bog R* —3D **18**
Maple Gdns. *Bog R* —1D **16**
Maplehurst Rd. *Chich* —5F **3**
(in three parts)
Maple Wlk. *Walb* —1H **13**
Marama Gdns. *Rust* —4B **28**
March Sq. *Chich* —4E **3**
Marchwood. *Chich* —4E **3**
Marchwood Ga. *Chich* —4E **3**
Marchwood M. *Chich* —4E **3**
Marcuse Fields. *Bosh* —3A **4**
Marden Av. *Chich* —6C **6**
Margaret Clo. *Bog R* —2G **15**
Marian Way. *Bog R* —5F **17**
Marine Clo. *W Wit* —5D **8**
Marine Dri. *Sel* —4E **11**
Marine Dri. *W Wit* —4D **8**
(in two parts)
Marine Dri. W. *Bog R* —6B **16**
Marine Dri. W. *W Wit* —4C **8**
Marine Gdns. *Sel* —6C **10**
Marine Pde. *Bog R* —6C **16**
Mariners Wlk. *Rust* —3D **28**
Marineside. *Bra B* —6G **9**
Maris Clo. *Lit* —3H **27**
Marisfield Pl. *Sel* —3E **11**
Market Av. *Chich* —4E **7**
Market Clo. *Bar* —3E **13**
Market Rd. *Chich* —3E **7**
Market St. *Bog R* —6D **16**
Markfield. *Bog R* —2C **16**
Marlborough Clo. *Chich* —3H **7**
Marlborough Ct. *Bog R* —3A **16**

Marlowe Clo. *Bog R* —3C **18**
Marquis Way. *Bog R* —4G **15**
Marshall Av. *Bog R* —4C **16**
Marshall Clo. *Bar* —4E **13**
Marsh La. *Easth* —1D **2**
Martello Enterprise Cen. *Wick*
—5E **23**
Martlet Clo. *Chich* —4E **7**
Martlets, The. *Rust* —4A **28**
(in three parts)
Martlet Way. *Bog R* —6B **14**
Marylands Cres. *Bog R* —3F **17**
Mauldmare Clo. *Bog R* —3H **15**
Maxwell Rd. *Arun* —6B **20**
Maxwell Rd. *Lit* —2E **27**
May Clo. *Bog R* —3E **17**
Mayfair Ct. *Chich* —2D **6**
Mayfield. *E Pre* —6H **25**
Mayfield Clo. *Bog R* —3D **14**
Mayfield Rd. *Bog R* —4B **16**
Mayflower Way. *Ang* —6G **25**
Mayflower Way. *Chich* —3F **7**
Maynards Camping & Cvn. Site.
Cross —6F **21**
Maypole La. Cvn. Site. *Yap*
—4H **13**
Mayridge. *Sel* —3A **10**
Maytree Clo. *Ang* —5F **25**
Mead La. *Bog R* —4E **17**
Meadow Ct. *Bog R* —3C **18**
Meadowfield Dri. *Chich* —2F **7**
Meadowland. *Sel* —5C **10**
Meadow La. *W Wit* —1C **8**
Meadowside. *Ang* —3G **25**
Meadows Rd. *E Wit* —4F **9**
Meadows, The. *Walb* —1H **13**
Meadow Wlk. *Bog R* —4F **19**
Meadow Way. *Aldw* —4D **14**
Meadow Way. *Lit* —2H **27**
Meadow Way. *N Ber* —2B **16**
Meadow Way. *Wes* —3A **12**
Meadway. *Rust* —2D **28**
Medmerry. *Sel* —3A **10**
Melbourne Rd. *Chich* —2F **7**
Mendip Clo. *E Pre* —1G **29**
Merchant St. *Bog R* —5D **16**
Merlin Way. *Bog R* —3C **18**
Merrion Av. *Bog R* —3C **16**
Merry End. *Bog R* —4C **18**
Merryfield Cres. *Ang* —3G **25**
Merryfield Rd. *Sel* —4E **11**
Merryweather Rd. *Bosh* —4B **4**
Merton Av. *Rust* —3D **28**
Merton Clo. *Bog R* —1G **15**
Merton Dri. *Lit* —1F **27**
Michel Gro. *E Pre* —2E **29**
Micklam Clo. *Bog R* —3E **15**
Middlefield. *W Wit* —2B **8**
Middle Mead. *Lit* —2A **28**
Middleton Clo. *Bra B* —5G **9**
Middleton Rd. *Bog R* —4B **18**
Middle Wlk. *E Pre* —3F **29**
Midholme. *E Pre* —2F **29**
Midhurst Rd. *Lav* —1C **2**
Midway, The. *Bog R* —4H **17**
Miles Clo. *Ford* —6H **13**
Miles Cotts. *Bosh* —4C **4**
Mill Clo. *Chich* —3H **5**
Mill Clo. *Rust* —1D **28**
Millers Ct. *Bog R* —4D **14**
Millers, The. *Yap* —6F **13**
Mill Farm Dri. *Bog R* —3B **14**
Millfarm Est. *Bog R* —3B **14**
Millfield Clo. *Chich* —1G **7**
Millfield Clo. *Rust* —4C **28**
Mill Gdns. *E Wit* —4E **9**
Mill La. *Arun* —4D **20**

Mill La. *Chich* —3H **5**
Mill La. *Rust* —1D **28**
(in two parts)
Mill La. *Sel* —4A **10**
Mill La. *Walb* —1G **13**
Mill La. *Wick* —4F **23**
(in two parts)
Mill Pk. Rd. *Bog R* —3C **14**
Mill Pond Way. *E Pre* —1F **29**
Mill Rd. *Ang* —4F **25**
Mill Rd. *Arun* —3D **20**
Mill Rd. Av. *Ang* —4F **25**
Mill Vw. Clo. *Bog R* —3C **14**
Mill View Rd. *Yap* —6F **13**
Milton Av. *Rust* —3B **28**
Milton Clo. *Rust* —2B **28**
Minton Rd. *Bog R* —4H **17**
Mixon Clo. *Sel* —5D **10**
Mole, The. *Lit* —2A **28**
Mons Av. *Bog R* —4B **16**
Montague Rd. *Chich* —1C **6**
Montgomeri Dri. *Rust* —6B **24**
Montgomery Dri. *Bog R* —4C **18**
Montpelier Rd. *E Pre* —2G **29**
Moorhen Way. *Bog R* —2C **16**
Moorings, The. *Lit* —1A **28**
Moraunt Dri. *Bog R* —3C **18**
Moreton Rd. *Bosh* —4B **4**
Mornington Cres. *Bog R*
—3H **17**
Mosse Gdns. *Chich* —2H **5**
Moss Wlk. *Ang* —3G **25**
Mountbatten Ct. *Bog R* —6E **17**
Mount La. *Chich* —3D **6**
Mt. Pleasant. *Arun* —4C **20**
Mountwood Rd. *Sel* —3E **11**
Moutalan Cres. *Sel* —4A **10**
M'Tongue Av. *Bosh* —2C **4**
Mudberry La. *Bosh* —1A **4**
Mulberry Ct. *Bog R* —6C **14**
Mumford Pl. *Chich* —5F **7**
Munmere Way. *Rust* —1E **29**
Murina Av. *Bog R* —3D **16**
Murray Rd. *Sel* —5C **10**
Mustang Clo. *Ford* —6H **13**
Myrtle Gro. *E Pre* —2F **29**

Nab Tower La. *Sel* —3A **10**
Nab Wlk. *E Wit* —5E **9**
Nagles Clo. *E Wit* —5F **9**
Naiad Gdns. *Bog R* —4C **18**
Nauton Dri. *Chich* —6E **3**
Needle Makers. *Chich* —3F **7**
Nelson Rd. *Bog R* —5B **16**
Nelson Row. *Ford* —6A **22**
Neptune Ct. *Bog R* —5C **18**
Neptune Way. *Lit* —3A **28**
Netherton Clo. *Sel* —4D **10**
Neville Rd. *Bog R* —4E **17**
Neville Rd. *Chich* —2B **6**
New Barn La. *Fel* —3A **18**
Newbarn La. *N Ber* —1A **16**
(in two parts)
New Courtwick La. *Wick*
—5E **23**
Newells La. *Bosh* —1A **4**
Newfield Rd. *Sel* —3F **11**
Newhall Clo. *Bog R* —2H **15**
Newlands La. *Chich* —1C **6**
New Pk. Rd. *Chich* —2E **7**
Newport Dri. *Chich* —2H **5**
New Rd. *Lit* —3F **27**
New Rd. *Rust* —6D **24**
New Ter. *Pol* —1C **24**
New Town. *Chich* —3E **7**
Newtown Av. *Bog R* —2B **16**

Nightingale Ct. *Bog R* —4E **19**
Nimbus Clo. *Lit* —1A **28**
Nineveh Shipyard. *Arun* —4D **20**
Nookery, The. *E Pre* —2G **29**
Nor'bren Rd. *Bog R* —3B **16**
Norfolk Clo. *Bog R* —6C **16**
Norfolk Cotts. *Bur* —1H **21**
Norfolk Gdns. *Lit* —3H **27**
Norfolk Pl. *Lit* —3H **27**
Norfolk Rd. *Lit* —4H **27**
Norfolk Sq. *Bog R* —6C **16**
Norfolk St. *Bog R* —6E **17**
Norfolk Way. *Bog R* —4F **19**
Norman Clo. *Lit* —2H **27**
Normandy Dri. *E Pre* —3G **29**
Normandy La. *E Pre* —3G **29**
Normanhurst Clo. *Rust* —3C **28**
Norman's Dri. *Bog R* —3A **18**
Normanton Av. *Bog R* —5C **16**
Norman Way. *Bog R* —4E **19**
Norris, The. *E Pre* —2H **29**
North Av. *Bog R* —4E **19**
North Av. E. *Bog R* —4E **19**
North Av. S. *Bog R* —4E **19**
N. Bersted St. *Bog R* —2B **16**
Northcliffe Rd. *Bog R* —4F **17**
North Clo. *Chich* —3E **7**
Northcote Rd. *Bog R* —4B **16**
Northcourt Rd. *Rust* —1E **29**
North Dri. *Ang* —5F **25**
North End Rd. *Yap* —5F **13**
Northern Cres. *W Wit* —4E **9**
Northfield. *Sel* —4E **11**
Northfields La. *Wes* —1A **12**
Northgate. *Chich* —2E **7**
N. Ham Rd. *Lit* —2F **27**
North La. *E Pre* —1H **29**
North La. *Rust* —2B **28**
North Pallant. *Chich* —3E **7**
North Pl. *Lit* —3G **27**
North Rd. *Bog R* —2H **17**
North Rd. *Bosh* —2C **4**
North Rd. *Sel* —4D **10**
Northside. *Lav* —1C **2**
North St. *Chich* —3E **7**
North St. *Wick* —6F **23**
North Walls. *Chich* —3D **6**
(in two parts)
North Way. *Bog R* —4G **17**
Northway Rd. *Wick* —5F **23**
Northwyke Clo. *Bog R* —4B **18**
Northwyke Rd. *Bog R* —4B **18**
Norway La. *Lit* —6H **23**
Norwich Rd. *Chich* —1D **6**
Nuffield Clo. *Bog R* —2G **15**
Nunnington Farm Cvn. Pk. *W Wit*
—1C **8**
Nursery Clo. *Bar* —3E **13**
Nursery Clo. *E Pre* —3G **29**
Nursery Gdns. *Wick* —6F **23**
Nursery La. *Chich* —2H **5**
Nuseries, The. *Bog R* —2E **15**
Nyetimber Clo. *Bog R* —3D **14**
Nyetimber Cres. *Bog R* —3D **14**
Nyetimber La. *Bog R* —3C **14**
Nyetimber Mill. *Bog R* —3C **14**
Nyetimbers, The. *Bog R* —3C **14**
Nyewood Gdns. *Bog R* —5C **16**
Nyewood La. *Bog R* —4C **16**
Nyewood Pl. *Bog R* —6C **16**
Nyton Rd. *Wes* —1A **12**

Oak Av. *Chich* —2C **6**
Oak Clo. *Bog R* —2D **16**
Oak Clo. *Chich* —2C **6**
Oakcroft Gdns. *Lit* —6H **23**

Oak End. *Arun* —5A **20**
Oakfield Av. *E Wit* —4E **9**
Oakfield Rd. *E Wit* —4E **9**
Oak Gro. *Bog R* —2D **16**
Oakhurst Gdns. *Rust* —1E **29**
Oaklands Ct. *Chich* —1D **6**
(off Somerstown)
Oaklands Way. *Chich* —2E **7**
Oakley Gdns. *E Pre* —2G **29**
Oaks Clo. *Wes* —3A **12**
Oaks, The. *Rust* —2E **29**
Oak Tree Clo. *Bog R* —3B **14**
Oak Tree La. *Wood* —4A **12**
Oakwood Gdns. *Bog R* —4D **16**
Ockley Ct. *Bog R* —5D **16**
Ockley Rd. *Bog R* —5D **16**
Old Bakery La. *Bog R* —5D **16**
Old Barn Clo. *Bog R* —3B **14**
Old Bri. Rd. *Bosh* —2C **4**
Old Broyle Rd. *W Bro* —5A **2**
Old Canal Cvn. Site. *Bog R* —6A **12**
Old Coastguards. *Bog R* —4G **17**
Older Way. *Ang* —3F **25**
Old Farm Clo. *Bog R* —3F **15**
Old Farm Clo. *Bra B* —6G **9**
Old Farm Dri. *Wes* —2A **12**
Oldlands Way. *Bog R* —1F **17**
Old Manor Ho. Gdns. *Bog R* —4A **18**
Old Mnr. Rd. *Rust* —1B **28**
Old Mkt. Av. *Chich* —3E **7**
Old Mead Rd. *Wick* —4E **23**
Old Pk. La. *Bosh* —6E **5**
Old Pl. *Bog R* —2G **15**
Old Point. *Bog R* —5D **18**
Old Rectory Dri. *East* —2B **12**
Old Rectory Gdns. *Bog R* —4H **17**
Old School M. *Bog R* —4H **17**
Old Stables, The. *Bog R* —4G **17**
Oldwick Meadows. *Lav* —2D **2**
Old Worthing Rd. *E Pre* —6H **25**
Olivers Meadow. *Wes* —2A **12**
Oliver Whitby Rd. *Chich* —2B **6**
Olivia Ct. *Bog R* —6C **16**
Olivier Ct. *Bog R* —2B **16**
Orchard Av. *Chich* —2D **6**
Orchard Av. *Sel* —5D **10**
Orchard Cvn. Pk. *Bog R* —1A **16**
Orchard Clo. *Bog R* —5C **16**
Orchard Gdns. *Chich* —2D **6**
Orchard Gdns. *Rust* —1D **28**
Orchard Gdns. *Wood* —4A **12**
Orchard Pde. *Sel* —3B **10**
Orchard Pk. Cvn. Site. *Rust* —6B **24**
Orchard Pl. *Arun* —4D **20**
Orchard Rd. *E Pre* —1G **29**
Orchard St. *Chich* —2D **6**
Orchard, The. *Bog R* —4E **15**
Orchard Way. *Bar* —3E **13**
Orchard Way. *Bog R* —3D **16**
Oriel Clo. *Bar* —3E **13**
Orme Cotts. *Ang* —3F **25**
Ormesby Cres. *Bog R* —3H **17**
Ormonde Av. *Chich* —3F **7**
Orpen Pl. *Sel* —4E **11**
Osborn Cres. *Chich* —6E **3**
Osborne Cres. *Chich* —3H **7**
Osprey Clo. *Wick* —5F **23**
Osprey Gdns. *Bog R* —1D **16**
Otard Clo. *Sel* —4D **10**
Otter Clo. *Chich* —1C **6**
Otway Rd. *Chich* —5E **3**

Outerwyke Av. *Bog R* —2H **17**
Outerwyke Gdns. *Bog R* —3A **18**
Outerwyke Rd. *Bog R* —2H **17**
Outram Rd. *Bog R* —5G **17**
Oval La. *Sel* —6D **10**
Overdown Rd. *Bog R* —4A **18**
Overstrand Av. *Rust* —3B **28**
Oving Rd. *Chich & Ald* —3G **7**
Oving Ter. *Chich* —3G **7**
Owers Way. *W Wit* —4D **8**
Oxford Clo. *W Wit* —3E **9**
Oxford Dri. *Bog R* —1G **15**
Oxford St. *Bog R* —6C **16**

Pacific Way. *Sel* —5D **10**
Paddock Grn. *Rust* —1E **29**
Paddock La. *Sel* —4C **10**
Paddocks. *Bar* —3E **13**
Paddock, The. *Lym* —3E **23**
Paddock, The. *S Ber* —3D **16**
Pagham Rd. *Bog R* —5B **14**
Palm Ct. *E Pre* —3G **29**
Palmer Rd. *Ang* —3F **25**
Palmers Fld. Av. *Chich* —1F **7**
Parade, The. *Bog R* —6C **14**
Parade, The. *E Pre* —3G **29**
Parchment St. *Chich* —2D **6**
Parham Clo. *Rust* —3B **28**
Parham Clo. *E Wit* —5F **9**
Park Av. *Sel* —4E **11**
Park Copse. *Sel* —2G **11**
Park Cres. *Sel* —3F **11**
Park Dri. *Bog R* —4C **18**
Park Dri. *Rust* —1D **28**
Park Dri. *Yap* —6G **13**
Parker's Cotts. *E Lav* —1E **3**
Parkfield Av. *Bog R* —2F **15**
Parklands Av. *Bog R* —4C **16**
Parklands Rd. *Chich* —3C **6**
Park La. *Hal* —3B **2**
Park La. *Sel* —2E **11**
Park Pl. *Arun* —4C **20**
Park Rd. *Bar* —3G **13**
Park Rd. *Bog R* —6C **16**
Park Rd. *Sel* —3F **11**
Park Rd. *Yap* —6G **13**
Parkside Av. *Lit* —2H **27**
Parkside Ct. *Lit* —2H **27**
Park Ter. *Bog R* —6C **16**
Parkway. *Bog R* —5B **16**
Parkway, The. *Rust* —2D **28**
Parry Dri. *Rust* —2B **28**
Parson's Hill. *Arun* —4D **20**
Parsons Wlk. *Walb* —1H **13**
Paterson Wilson Rd. *Lit* —1G **27**
Payne Clo. *Rust* —2E **29**
Peacheries, The. *Chich* —4G **7**
Peachey Rd. *Sel* —5C **10**
Peacock Clo. *Chich* —6F **3**
Peak La. *E Pre* —3H **29**
Pearson Rd. *Arun* —5B **20**
Pebble Wlk. *Lit* —6A **24**
Peckhams Copse La. *N Mun* —6H **7**
Peel Cen., The. *Bog R* —1E **17**
Peel Clo. *Wick* —1E **27**
Peerley Clo. *E Wit* —5F **9**
Peerley Rd. *E Wit* —5F **9**
Pembroke Way. *Bog R* —1G **15**
Penarth Gdns. *Wick* —4E **23**
Penfold La. *Rust* —6C **24**
Penfolds Pl. *Arun* —5C **20**
Penn Clo. *Bog R* —4D **18**
Pennycord Clo. *Sel* —6D **10**
Pennyfields. *Bog R* —4B **18**
Penwarden Way. *Bosh* —2C **4**

Pepper Ct. *Lit* —2F **27**
Peregrine Rd. *Lit* —1H **27**
Peterhouse Clo. *Bog R* —1H **15**
Peter's La. *Sel* —3A **10**
Peter's Pl. *Sel* —3A **10**
Peter Weston Pl. *Chich* —3F **7**
Pevensey Rd. *Bog R* —1H **15**
Pharos Quay. *Lit* —2E **27**
(off River Rd.)
Phillips Bus. Cen. *Chich* —4C **6**
Phoenix Clo. *Chich* —4E **7**
Pier Rd. *Lit* —3F **27**
Pigeonhouse La. *Rust* —3E **29**
Piggery Hall La. *W Wit* —2E **9**
Pilgrims Way. *Bog R* —4D **14**
Pine Gro. *W Bro* —6A **2**
Pinehurst Pk. *Bog R* —1F **15**
Pines, The. *Ang* —5F **25**
Pines, The. *Yap* —5F **13**
Pine Trees Clo. *Ang* —2F **25**
Pine Wlk. *Bog R* —1F **15**
Pinewood Clo. *E Pre* —1G **29**
Pinewood Gdns. *Bog R* —5B **16**
Pitcroft, The. *Chich* —1G **7**
Place St Maur des Fosses. *Bog R* —6E **17**
(off Belmont St.)
Plainwood Clo. *Chich* —5D **2**
Plantation, The. *E Pre* —2G **29**
Plover Clo. *Bog R* —1D **16**
Plover Clo. *E Wit* —5F **9**
Poling St. *Pol* —3A **24**
Pond Rd. *Bra B* —6G **9**
Pontins S. Downs. *Bra B* —4G **9**
Pook La. *Lav* —2D **2**
Poplars Cvn. Pk., The. *Bog R* —2E **17**
Poppy Clo. *Rust* —6A **24**
Portfield Way. *Chich* —1H **7**
Portland Clo. *Lit* —1A **28**
Portsmouth Rd. *Chich* —3G **5**
Potters Mead. *Wick* —6E **23**
Poulner Clo. *Bog R* —3H **17**
Pound Farm Rd. *Chich* —3G **7**
Pound Rd. *Walb* —1G **13**
Pound Rd. *W Wit* —2A **8**
Pound, The. *Bog R* —3G **15**
Poyntz Clo. *Chich* —6D **6**
Prawn Clo. *Sel* —3B **10**
Precinct, The. *Bog R* —1H **15**
Preston Av. *Rust* —2D **28**
Preston Paddock. *Rust* —2E **29**
Priestley Way. *Bog R* —4C **18**
Prime Clo. *Walb* —1H **13**
Primrose Clo. *Rust* —6A **24**
Princes Cft. *Bog R* —4C **14**
Princes Marina Ho. *Rust* —4C **28**
Princess Av. *Bog R* —6B **16**
Priors Waye. *Bog R* —4C **14**
Priory Clo. *Bog R* —5D **14**
Priory La. *Chich* —2E **7**
Priory Rd. *Arun* —6B **20**
Priory Rd. *Chich* —2E **7**
Priory Rd. *Rust* —1B **28**
Promenade. *Bog R* —5H **17**
Promenade, The. *Lit* —4G **27**
Providence, The. *Chich* —3D **6**
Pryors Grn. *Bog R* —3E **15**
Pryors La. *Bog R* —4E **15**
Pulborough Way. *Bog R* —3C **18**
Purbeck Pl. *Lit* —2E **27**
Pyrford Clo. *Bog R* —3D **14**

Quarry La. *Chich* —4G **7**
Quarry La. Ind. Est. *Chich* —4G **7**

Quayside. *Lit* —2D **26**
Queen's Av. *Chich* —5D **6**
Queen's Fields E. *Bog R* —1H **15**
Queens Fields Wlk. *Bog R* —1H **15**
Queen's Fields W. *Bog R* (in two parts) —1G **15**
Queens Gdns. *Chich* —5D **6**
Queens La. *Arun* —5D **20**
Queensmead. *Bog R* —5B **14**
Queen's Sq. *Bog R* —5E **17**
Queen St. *Arun* —4D **20**
Queen St. *Lit* —2F **27**
Queensway. *Aldw* —4G **15**
Queensway. *Bog R* —5D **16**
Quest Clo. *Chich* —3F **7**

Rackham Rd. *Rust* —4B **28**
Radford Rd. *Bog R* —3C **16**
Raleigh Rd. *Bog R* —2D **14**
Ramilies Gdns. *Bog R* —4B **18**
Ranworth Clo. *Bog R* —3G **17**
Ratham La. *Bosh* —1C **4**
Raughmere Ct. *Lav* —2D **2**
Raughmere Dri. *Lav* —3D **2**
Ravens Way. *Bog R* —2C **16**
Raycroft Clo. *Bog R* —3H **15**
Rayden Clo. *Lit* —2G **27**
Rectory La. *Ang* —4F **25**
Rectory La. *Sel* —1E **11**
Redhouse Farm Cvn. Site. *Earn* —2H **9**
Redwing Clo. *Wick* —5E **23**
Redwood Ct. *Lit* —2G **27**
Redwood Pl. *Bog R* —3G **15**
Reef Clo. *Lit* —4H **27**
Regents Way. *Bog R* —1H **15**
Regis Av. *Bog R* —5D **14**
Regis Ct. *Bog R* —5E **17**
Regnum Cotts. *Chich* —5E **3**
Renoir Ct. *Bog R* —2B **16**
Renoir M. *Bog R* —2B **16**
Rew La. *Chich* —4D **2**
Richmond Av. *Bog R* —5B **16**
Richmond Av. *Chich* —6E **3**
Richmond Av. W. *Bog R* —6B **16**
Richmond Clo. *Rust* —1E **29**
Richmond Rd. *Bog R* —5D **16**
Richmond Rd. N. *Bog R* —4E **17**
Ridgeway, The. *Bog R* —5A **18**
Ridgeway, The. *Chich* —2C **6**
(off Oliver Whitby Rd.)
Ridings, The. *Bog R* —4E **15**
Ridings, The. *E Pre* —3F **29**
Rife La. *Sel* —3A **10**
Rife Way. *Bog R* —4G **17**
Ripon Gdns. *Bog R* —2G **15**
River Rd. *Arun* —5D **20**
(in two parts)
River Rd. *Lit* —2E **27**
Riverside. *Chich* —2F **7**
Riverside Cvn. Cen. *Bog R* —1E **17**
Riverside Ind. Est. *Clim* —1D **26**
Robin Clo. *Wick* —5E **23**
Robin's Clo. *Sel* —3D **10**
Robins Dri. *Bog R* —2F **15**
Rochester Clo. *Chich* —6D **2**
Rochester Way. *Bog R* —2G **15**
Rockall Clo. *Lit* —1B **28**
Rock Gdns. *Bog R* —6D **16**
Rodney Clo. *Bog R* —2E **15**
Rodney Cres. *Ford* —5A **22**

Rollaston Pk. *Ford* —6H **13**
Roman Acre. *Wick* —1E **27**
Roman Landing. *W Wit* —1A **8**
Roman Way. *Chich* —3H **5**
Romney Broadwalk. *Bog R*
　　　　—2C **16**
Romney Gth. *Sel* —4E **11**
Rookwood Rd. *W Wit* —1B **8**
Rope Wlk. *Lit* —2E **27**
Rose Av. *Bog R* —4E **19**
Rose Cotts. *Bar* —4E **13**
Rose Grn. Rd. *Bog R* —2E **15**
Rosemary Clo. *Bog R* —2E **15**
Rosemead. *Lit* —2G **27**
Rossalyn Clo. *Bog R* —2D **14**
Ross Clo. *Bog R* —3D **14**
Rosvara Av. *Wes* —2A **12**
Roundle Av. *Bog R* —4A **18**
Roundle Rd. *Bog R* —4B **18**
Roundle Sq. *Bog R* —4A **18**
Roundle Sq. Rd. *Bog R* —4A **18**
Round Piece. *Sel* —3B **10**
Round Piece La. *Sel* —3A **10**
Roundstone By-Pass. *E Pre*
　　　　—6F **25**
Roundstone Cres. *E Pre* —1F **29**
Roundstone Dri. *E Pre* —1F **29**
Roundstone Ho. Cvn. Pk. E Pre
　　　　—6H **25**
(off Old Worthing Rd.)
Roundstone La. *Ang* —4G **25**
Roundstone Way. *Sel* —3E **11**
Roundway, The. *Rust* —3D **28**
Rowan Way. *Bog R* —1C **16**
Royal Clo. *Chich* —3G **7**
Royal Pde. *Bog R* —2B **16**
Royce Clo. *W Wit* —2B **8**
Royce Way. *W Wit* —2B **8**
Roystons, The. *E Pre* —3F **29**
Rucrofts Clo. *Bog R* —2H **15**
Rudgwick Clo. *Rust* —3B **28**
Rudwick's Clo. *Bog R* —5B **18**
Rudwick's Way. *Bog R* —5B **18**
Ruislip Gdns. *Bog R* —3E **15**
Rumbolds Clo. *Chich* —4G **7**
Runnymede Ct. *Bog R* —3A **16**
Rusbridge Clo. *Bog R* —1F **15**
Ruskin Clo. *Sel* —4E **11**
Russell Rd. *W Wit* —4D **8**
Russell's Clo. *E Pre* —1H **29**
Russell St. *Chich*
Rustington By-Pass. *Lit* —6H **23**
Rustington Trad. Est. *Rust*
　　　　—6C **24**
Ruston Av. *Rust* —2D **28**
Ruston Pk. *Rust* —2E **29**
Rutland Way. *Chich* —1H **7**
Rydal Clo. *Lit* —1A **28**

Saddle La. *Sel* —3C **10**
Sadler St. *Bog R* —6D **16**
Sadlers Wlk. *Chich* —3E **7**
St Anthony's Wlk. *Bog R*
　　　　—2F **15**
St Anthonys Way. *Rust* —1D **28**
St Augustine Rd. *Lit* —3G **27**
St Bartholomews Clo. *Chich*
　　　　—3C **6**
St Catherine's Rd. *Lit* —3F **27**
St Christopher's Clo. *Chich*
　　　　—3A **6**
St Claire Ter. *Bog R* —5D **16**
St Clare's Gdns. *Bog R* —2B **16**
St Cyriacs. *Chich* —2E **7**
St Flora's Clo. *Lit* —2H **27**
St Flora's Rd. *Lit* —2H **27**

St George's Clo. *Sel* —3E **11**
St George's Dri. *Chich* —6D **6**
St George's Wlk. *East* —2C **12**
St Hildas Clo. *Sel* —5C **10**
St Itha Clo. *Sel* —5D **10**
St Itha Rd. *Sel* —5D **10**
St James Rd. *Chich* —2G **7**
St James's Ind. Est. *Chich*
　　　　—2G **7**
St James Sq. *Chich* —2G **7**
St John's Clo. *Ald* —4A **12**
St John's Clo. *Bog R* —1H **15**
St Johns St. *Chich* —3E **7**
St Margarets Ct. *Ang* —3F **25**
St Martin's La. *Lit* —2F **27**
St Martin's Rd. *Lit* —2F **27**
St Martins Sq. *Chich* —2E **7**
St Martins St. *Chich* —3E **7**
St Mary's Clo. *Bog R* —3E **17**
St Marys Clo. *Lit* —2G **27**
St Mary's Dri. *E Pre* —2F **29**
St Marys Gdns. *Lit* —2G **27**
St Mary's Lodge. *Chich* —2E **7**
St Marys Way. *Lit* —2G **27**
St Nicholas Ct. *Bog R* —4E **19**
St Nicholas La. *Bog R* —4E **19**
St Nicholas Rd. *Lav* —1C **2**
St Pancras. *Chich* —3F **7**
St Paul's Gdns. *Chich* —2D **6**
St Paul's Rd. *Chich* —1C **6**
St Peters. *Chich* —2E **7**
St Peters Clo. *Bog R* —1G **15**
St Peter's Cres. *Sel* —3D **10**
St Richard's Dri. *Bog R* —2F **15**
St Richards Rd. *Wes* —2B **12**
St Richard's Wlk. *Chich* —3D **6**
St Richard's Way. *Bog R*
　　　　—2F **15**
St Thomas Ct. *Bog R* —5C **14**
St Thomas Dri. *Bog R* —5B **14**
St Wilfred's Clo. *Sel* —3F **11**
St Wilfreds Vw. *Sel* —5B **10**
St Wilfrid Rd. *Chich* —2B **6**
St Winefride's Rd. *Lit* —3G **27**
St Winifred's Clo. *Bog R*
　　　　—6C **16**
Salisbury Way. *Chich* —6D **2**
Salthill La. *Chich* —1A **6**
Salthill Pk. *Chich* —1H **5**
Salthill Rd. *Chich* —3H **5**
Saltings, The. *Lit* —1A **28**
Sandfield Av. *Wick* —5F **23**
Sandpiper Ct. *E Wit* —5F **9**
Sandringham Clo. *Bra B* —6G **9**
Sandringham Rd. *Chich* —3G **7**
Sandringham Way. *Bog R*
　　　　—4C **16**
Sandymount Av. *Bog R* —3C **16**
Sandymount Clo. *Bog R* —2D **16**
Sandy Point La. *Sel* —3A **10**
Sandy Rd. *Bog R* —6C **14**
Sarisbury Clo. *Bog R* —3H **17**
Satinwood Clo. *Bog R* —3D **18**
Saxon Clo. *Bog R* —5B **14**
Saxon Clo. *E Pre* —6H **25**
School La. *Arun* —5D **20**
School La. *Bosh* —3C **4**
School La. *East* —2C **12**
School La. *Sel* —3C **10**
Schooner Ct. *Lit* —1A **28**
Scott Clo. *Bog R* —6D **16**
Scotts Farm Cvn. Pk. *W Wit*
　　　　—3D **8**
Scott St. *Bog R* —6D **16**
Sea Av. *Rust* —3D **28**
Sea Clo. *Bog R* —4D **18**
Seacourt Clo. *Bog R* —4F **15**

Sea Dri. *Bog R* —5B **18**
Seafield Clo. *E Wit* —5F **9**
Seafield Clo. *Rust* —3C **28**
Seafield Rd. *E Pre* —3F **29**
Seafield Rd. *Rust* —3C **28**
Seafields. *Bra B* —6G **9**
Seafield Way. *E Wit* —5F **9**
Seaford Clo. *Lit* —3H **27**
Seagate Ct. *W Wit* —5D **8**
Seagate Wlk. *Lit* —3A **28**
Sea Gro. *Sel* —5B **10**
Seagull Clo. *Sel* —2A **10**
Sea La. *E Pre* —3F **29**
Sea La. *Mid S* —4D **18**
Sea La. *Pag* —5B **14**
Sea La. *Rust* —4B **28**
Sea La. Clo. *E Pre* —2F **29**
Seal Rd. *Sel* —5C **10**
Seal Sq. *Sel* —6C **10**
Sea Rd. *Bog R* —5G **17**
Sea Rd. *E Pre* —2G **29**
Sea Rd. *E Pre & Rust* —4H **27**
Seaton Clo. *Wick* —5F **23**
Seaton La. *Wick* —5F **23**
Seaton Pk. *Wick* —5F **23**
Seaton Rd. *Wick* —5F **23**
Seaview Av. *E Pre* —3G **29**
Seaview Ct. *Sel* —6C **10**
Seaview Gdns. *Rust* —3C **28**
Seaview Rd. *E Pre* —3F **29**
Seaward Dri. *W Wit* —2B **8**
Seawaves Clo. *E Pre* —2G **29**
Sea Way. *Elmer* —4G **19**
Sea Way. *Mid S* —5C **18**
Sea Way. *Pag* —5B **14**
Second Av. *Bog R* —5A **18**
Second Av. *Bra B* —6G **9**
Sefter Rd. *Bog R* —1D **14**
Sefton Av. *Bog R* —2F **15**
Selborne Rd. *Lit* —3G **27**
Selborne Way. *E Pre* —2F **29**
Selden La. *Pat* —1H **25**
Selham Clo. *Chich* —4E **3**
Selhurst Clo. *E Pre* —2F **29**
Selsey Av. *Bog R* —6B **16**
Selsey Rd. *Chich* —6C **6**
　(PO19)
Selsey Rd. *Chich* —6F **7**
　(PO20)
Selway La. *Lit* —1H **27**
Selwyn Av. *Wick* —6F **23**
Selwyn Clo. *Bog R* —1H **15**
Senator Gdns. *Chich* —2H **5**
Servite Clo. *Bog R* —4C **16**
Sevenacres Cvn. Pk. *Clim*
　　　　—1H **19**
Sextant Ct. *Lit* —1A **28**
Shaftesbury Ct. *Rust* —3C **28**
Shaftesbury Rd. *Rust* —3C **28**
Shalbourne Cres. *Bra B* —6H **9**
Shamrock Clo. *Bosh* —4C **4**
Shamrock Clo. *Chich* —1F **7**
　(in two parts)
Shannon Clo. *Lit* —3A **28**
Shardeloes Rd. *Ang* —3F **25**
Shaw Clo. *Bog R* —4E **19**
Shearwater Dri. *Bog R* —2D **16**
Sheep Fold Av. *Rust* —1E **29**
Sheepwash La. *E Lav* —2D **2**
Shelley Rd. *Bog R* —5C **16**
Sherborne Rd. *Chich* —3C **6**
Sherbourne La. *Sel* —3A **10**
Sherlock Av. *Chich* —2C **6**
Sherwood Clo. *Bog R* —2B **16**
Sherwood Rd. *Bog R* —3C **16**
Shingle Wlk. *E Wit* —5E **9**
Shipfield. *Bog R* —3H **15**

Shirley Clo. *Bog R* —5C **14**
Shirley Clo. *Rust* —3D **28**
Shirley Dri. *Bog R* —2H **17**
Shirleys Garden. *Bog R* —4A **18**
Shopfield Clo. *Rust* —1C **28**
Shop La. *E Lav* —2E **3**
Shopwhyke Rd. *Chich* —3H **7**
Shorecroft. *Bog R* —4H **15**
Shore Rd. *Bosh* —5A **4**
　(in two parts)
Shore Rd. *E Wit* —5D **8**
Shoreside Wlk. *E Wit* —5E **9**
Short Furlong. *Lit* —2H **27**
Shripney La. *Bog R* —1C **16**
Shripney Rd. *Bog R* —3E **17**
　(in two parts)
Shrubbs Dri. *Bog R* —4D **18**
Silver Birch Dri. *Bog R* —3D **18**
Silverdale Clo. *Bog R* —5C **14**
Silverston Av. *Bog R* —6B **16**
Singleton Clo. *Bog R* —4D **14**
Slattsfield Clo. *Sel* —4E **11**
Smallcroft Clo. *Lit* —2E **27**
Snakes La. *Lav* —3C **2**
Snowdrop Clo. *Rust* —6B **24**
Solent Clo. *Lit* —6A **24**
Solent Rd. *E Wit* —5E **9**
Solent Way. *Sel* —6C **10**
Solway Clo. *Lit* —2A **28**
Somerset Gdns. *Bog R* —3D **16**
Somerset Rd. *E Pre* —1H **29**
Somerstown. *Chich* —1D **6**
Somerton Grn. *Bog R* —3G **17**
South Av. *Bog R* —2H **15**
South Bank. *Chich* —5D **6**
S. Bersted Ind. Est. *Bog R*
　　　　—2E **17**
S. Coast World. *Bog R* —5F **17**
Southcote Av. *W Wit* —4D **8**
Southcourt Clo. *Rust* —1E **29**
Southdean Clo. *Bog R* —4E **19**
Southdean Dri. *Bog R* —4E **19**
Southdown Rd. *Bog R* —5D **16**
South Dri. *Bog R* —4B **18**
South Dri. *Rust* —6D **24**
Southern Cross Ind. Est. *Bog R*
　　　　—1F **17**
Southern Leisure Cen. *Runc*
　　　　—6H **7**
Southern Rd. *Sel* —5D **10**
Southfield Ind. Pk. *Bosh* —3B **4**
Southfields Clo. *Chich* —6D **6**
Southfields Rd. *Lit* —2H **27**
Southgate. *Chich* —4D **6**
Southover Rd. *Bog R* —5D **16**
South Pallant. *Chich* —3E **7**
South Pas. *Lit* —3H **27**
South Rd. *Bog R* —3G **17**
S. Strand. *E Pre* —3G **29**
South St. *Chich* —3E **7**
South Ter. *Bosh* —2C **4**
South Ter. *Lit* —3F **27**
　(in two parts)
S. View. *E Pre* —3H **29**
Southview Rd. *Bog R* —5A **18**
South Vs. *Bosh* —2C **4**
South Wlk. *Bog R* —4C **18**
South Wlk. *E Pre* —4E **29**
Southwark Wlk. *Bog R* —1G **15**
South Way. *Bog R* —3B **16**
Southway. *Lit* —3H **27**
Sparks Ct. *Lit* —2F **27**
Sparshott Clo. *Sel* —6D **10**
Spencer St. *Bog R* —5E **17**
Spinnaker Clo. *Lit* —2A **28**
Spinney Clo. *Sel* —3C **10**
Spinney, The. *Bog R* —2G **15**

Spinney, The. *E Pre* —3G **29**
Spinney Wlk. *Bar* —3E **13**
Spitalfield La. *Chich* —2E **7**
Springbank. *Chich* —6D **2**
Springfield. *Bog R* —3C **14**
Springfield Clo. *E Pre* —2E **29**
Springfield Clo. *Lav* —1C **2**
Sproule Clo. *Ford* —6H **13**
Spur Rd. *Chich* —4H **7**
Square, The. *Ang* —4F **25**
Square, The. *Bar* —3E **13**
Stablefield. *Bog R* —4G **19**
Staffords Clo. *Rust* —1B **28**
Stalham Way. *Bog R* —2H **17**
Stanbrok Rd. *Bog R* —2G **15**
Stanbury Clo. *Bosh* —2C **4**
Stanford Clo. *Bog R* —3F **17**
Stanhope Rd. *Lit* —1G **27**
Stanley Clo. *Bog R* —4E **17**
Stanley Ct. *Bog R* —3C **18**
Stanley Rd. *Wick* —6F **23**
Stanmore Gdns. *Bog R* —3G **15**
Stanover La. *Bog R* —1G **17**
  (in two parts)
Stanton Dri. *Chich* —4D **2**
Staple La. *E Lav* —1D **2**
Stapleton Ct. *Bog R* —2F **15**
Starboard Wlk. *Lit* —3H **27**
Station App. *Chich* —4D **6**
Station Pde. *Rust* —1E **29**
Station Rd. *Bog R* —5D **16**
Station Rd. *Bosh* —2C **4**
Station Rd. *Rust* —1D **28**
Staveley Gdns. *Chich* —4D **2**
Stean Furlong. *Wick* —6E **23**
Stempswood Way. *Bar* —3E **13**
Sterling Pde. *Rust* —2C **28**
Sternway. *Lit* —2A **28**
Stewards Rise. *Arun* —6B **20**
Steyne St. *Bog R* —5D **16**
  (in two parts)
Steyne, The. *Bog R* —6D **16**
Steyning Way. *Bog R* —1F **17**
Stirling Rd. *Chich* —3E **7**
Stirling Way. *Bog R* —3G **15**
Stockbridge Gdns. *Chich* —6C **6**
Stockbridge Rd. *Chich* —6D **6**
Stocker Rd. *Bog R* —6C **16**
Stocks La. *E Lav* —3F **3**
Stocks La. *E Wit* —4E **9**
Stoneage Clo. *Bog R* —1D **16**
Stonefields. *Rust* —2D **28**
Stonehill Cres. *Bog R* —2D **14**
Stoney Stile Clo. *Bog R* —3E **15**
Stoney Stile La. *Bog R* —4E **15**
Storrington Clo. *Chich* —1H **5**
Story Rd. *Chich* —2G **7**
Strand Way. *Bog R* —5A **18**
Strange Garden. *Bog R* —4G **15**
Stratton Ct. *Bog R* —3F **17**
Stream Clo. *Bosh* —4B **4**
Street, The. *E Pre* —1F **29**
Street, The. *Rust* —2B **28**
Street, The. *Walb* —1G **13**
Stride Clo. *Chich* —3G **7**
Stroud Grn. Dri. *Bog R* —3A **16**
Stubcroft La. *E Wit* —5G **9**
Stumps End. *Bosh* —5C **4**
Stumps La. *Bosh* —5C **4**
Sturges Rd. *Bog R* —5D **16**
Sudbury Clo. *Bog R* —4E **15**
Sudley Gdns. *Bog R* —5E **17**
Sudley Rd. *Bog R* —5E **17**
Summerfield Rd. *W Wit* —1A **8**
Summerhill Clo. *Bog R* —3B **18**
Summerhill Dri. *Bog R* —3B **18**
Summer La. *Bog R* —4B **14**

Summerlea Gdns. *Lit* —2G **27**
Summerley Clo. *Rust* —6B **24**
Summerley La. *Bog R* —4A **18**
Summersdale Ct. *Chich* —4D **2**
Summersdale Rd. *Chich* —6E **3**
Sundale La. *Bog R* —4D **18**
Sunflower Clo. *Rust* —6A **24**
Sunningdale Gdns. *Bog R*
  —1C **16**
Sunningdale Gdns. *W Wit*
  —4C **8**
Sunnymead Clo. *Bog R* —3F **19**
Sunnymead Clo. *Sel* —5E **11**
Sunnymead Dri. *Sel* —5D **10**
Sunny Way. *Bosh* —4B **4**
Sun Pk. Clo. *Bog R* —2B **16**
Surrey Ct. *Arun* —5C **20**
Surrey St. *Arun* —5C **20**
Surrey St. *Lit* —3F **27**
Surrey Wharf. *Arun* —5D **20**
Sussex Ct. *Elmer* —4G **19**
Sussex Dri. *Bog R* —4C **14**
Sussex Gdns. *Rust* —1C **28**
Sussex St. *Bog R* —5E **17**
Sussex St. *Wick* —1F **27**
Sussex Village. Bog R —4G **19**
  (off Manor Way)
Sutherland Clo. *Bog R* —5D **16**
Sutherland Clo. *Rust* —2B **28**
Sutton Av. *Rust* —3C **28**
Sutton Clo. *Bog R* —2G **17**
Swanbourne Rd. *Wick* —6F **23**
Swan Dene. *Bog R* —6B **14**
Swanfield Dri. *Chich* —2F **7**
Swansea Gdns. *Bog R* —6C **16**
Swift Way. *Wick* —5E **23**
Swillage La. *Pat* —1G **25**
Sycamore Clo. *Ang* —5F **25**
Sycamore Rd. *Bog R* —1D **16**
Syke Claun Clo. *Bar* —3E **13**
Sylvan Way. *Bog R* —5C **16**
Sylvia Clo. *Bog R* —4C **14**

Tabard Ga. *Bog R* —4D **14**
Tack Lee Rd. *Yap* —5F **13**
Talbot Rd. *Lit* —2E **27**
Tamarisk Clo. *Bog R* —2D **16**
Tamarisk Wlk. *E Wit* —5D **8**
Tamarisk Way. *E Pre* —3E **29**
Tangmere Gdns. *Bog R* —3F **15**
Tarrant St. *Arun* —5D **20**
Tarrant Wharf. *Arun* —5D **20**
Tasman Clo. *Rust* —3D **28**
Taverner Pl. *Chich* —5F **7**
Taylor's La. *Bosh* —5C **4**
Teal La. *Sel* —3B **10**
Templars Clo. *Bog R* —3C **18**
Temple Sheen Rd. *Bog R*
  —4G **19**
Tenacre Clo. *Chich* —1F **7**
Tennyson Av. *Rust* —2A **28**
Tennyson Rd. *Bog R* —5B **16**
Terminus Ind. Est. *Chich* —4C **6**
Terminus Pl. *Lit* —2F **27**
Terminus Rd. *Chich* —4B **6**
Terminus Rd. *Lit* —2E **27**
Terrace, The. *Cross* —1G **23**
Thakeham Clo. *E Pre* —6H **25**
Thames Clo. *Lit* —3A **28**
Thatchway Clo. *Wick* —1F **27**
Thatchway, The. *Ang* —4E **25**
Thatchway, The. *Rust* —3D **28**
Theatre La. *Chich* —3E **7**
Thicketts, The. *Bog R* —1E **15**
Third Av. *Bog R* —5A **18**
Third Av. *Bra B* —6G **9**

Thirlmere Way. *Bog R* —4A **18**
Thompson Rd. *Bog R* —4E **19**
Thorgate Rd. *Wick* —6D **22**
Thorncroft Rd. *Lit* —1G **27**
Thorndene Av. *Bog R* —4C **16**
Thorney Dri. *Sel* —4B **10**
Thornlea Pk. *Wick* —4E **23**
Thrusloes. *Bog R* —6B **16**
Tideway. *Lit* —3A **28**
Tile Barn La. *Earn* —2H **9**
Timberleys. *Lit* —6H **23**
Tinghall. *Bog R* —2G **15**
Tithe Barn Chalets. Sel —3A **10**
  (off Montalan Cres.)
Tithe Barn Clo. *Bog R* —4E **15**
Tithe Barn Ct. *Bog R* —5D **14**
Tithe Barn Way. *Bog R* —4D **14**
Tithe Grn. *Rust* —2B **28**
Toddington La. *Wick* —5G **23**
Toddington Pk. *Wick* —6G **23**
Tollhouse Clo. *Chich* —3D **6**
Tonge Av. *W Wit* —4D **8**
Torton Hill Rd. *Arun* —5B **20**
Tower Clo. *Chich* —2D **6**
Tower Ho. Gdns. *Arun* —4D **20**
Tower Pl. *E Wit* —4E **9**
Tower St. *Chich* —2D **6**
Town Cross Av. *Bog R* —4D **16**
Townsend Cres. *Lit* —1H **27**
Tozer Way. *Chich* —3F **7**
Tregarth Rd. *Chich* —5E **3**
Trendle Grn. *Bog R* —2H **15**
Tretawn Gdns. *Sel* —5E **11**
Trigg La. *Lit* —2A **28**
Trinity Way. *Bog R* —1H **15**
Trinity Way. *Lit* —3H **27**
Triton Pl. *Bog R* —4B **18**
Trotyn Cft. *Bog R* —3H **15**
True Blue Precinct. *Wick*
  —6F **23**
Trundle Clo. *Lav* —1C **2**
Trundle Vw. Clo. *Bar* —3E **13**
Truro Clo. *Chich* —6D **2**
Truro Cres. *Bog R* —2G **15**
Tryndel Way. *Bog R* —1H **15**
Tucknott Way. *Bosh* —4C **4**
Tudor Clo. *Bog R* —4C **18**
Tudor Clo. *Chich* —5D **2**
Tudor Dri. *Wes* —1A **12**
Turnbull Rd. *Chich* —2F **7**
Turner Way. *Sel* —4E **11**
Turnpike Clo. *Chich* —6D **6**
Tuscan Av. *Bog R* —4E **19**
Tyne Way. *Bog R* —1F **15**
Tythe Barn Rd. *Sel* —5D **10**

Ullswater Dri. *Lit* —6A **24**
Ullswater Gro. *Bog R* —3A **18**
Uppark Way. *Bog R* —3C **18**
Up. Bognor Rd. *Bog R* —4E **17**
  (in two parts)
Upper Dri. *E Pre* —3H **29**
Upton Rd. *Chich* —5D **6**
Upways Clo. *Sel* —2D **10**
Ursula Av. *Sel* —6C **10**
Ursula Av. N. *Sel* —5C **10**
Ursula Sq. *Sel* —6C **10**

Valentines Gdns. *Bog R*
  —3E **15**
Van Dyck Pl. *Bog R* —2G **16**
Van Gogh Pl. *Bog R* —2C **16**
Velyn Av. *Chich* —3F **7**
Venus La. *Bog R* —6A **14**
Verica Ct. *Chich* —2H **5**

Vermont Dri. *E Pre* —2G **29**
Vermont Way. *E Pre* —2G **29**
Vernon Clo. *Rust* —2C **28**
Veronica Clo. *E Pre* —3G **29**
Vicarage La. *Bog R* —4G **17**
Vicarage La. *E Pre* —2F **29**
Vicars Clo. *Chich* —3E **7**
Victoria Dri. *Bog R* —6C **16**
Victoria Gdns. *Wes* —2A **12**
Victoria Rd. *Bog R* —6C **16**
Victoria Rd. *Chich* —3G **7**
Victoria Rd. S. *Bog R* —6C **16**
View, The. *Bog R* —5C **14**
Vigar Ct. *Sel* —4E **11**
Villa Pl. *Bog R* —4F **19**
Vincent Rd. *Sel* —5B **10**
Vinnetrow Rd. *Runc* —4H **7**
Viscount Dri. *Bog R* —5D **14**

Wade End. *Sel* —3B **10**
Wadeway. *Sel* —3B **10**
Wadeway Cvn. Site. *Sel* —3B **10**
Wadeway, The. *Sel* —3B **10**
Wadhurst Clo. *Bog R* —4C **16**
Wad, The. *W Wit* —2A **8**
Wakefield Way. *Bog R* —1G **15**
Wakehurst Pl. *Rust* —1C **28**
Walberton Clo. *Bog R* —3H **17**
Walders Rd. *Rust* —1B **28**
Wallace Rd. *Rust* —1C **28**
Wallfield. *Bog R* —4H **15**
Wallner Cres. *Bog R* —4B **18**
Walmsleys Way. *Bra B* —6H **9**
Walnut Av. *Chich* —1C **6**
Walnut Av. *Rust* —2B **28**
Walnut Tree Cvn. Pk. *W Wit*
  —1B **8**
Walsham Clo. *Bog R* —2G **17**
Walters Grn. *Wick* —4E **23**
Walton Av. *Bog R* —5F **17**
Walton La. *Bosh* —4C **4**
Walton Rd. *Bog R* —5E **17**
Wansford Way. *Bog R* —5B **18**
Warbleheath Clo. *Lav* —1D **2**
Warblers Way. *Bog R* —1C **16**
Warner Rd. *Sel* —5B **10**
Warner's La. *Sel* —3A **10**
Warningcamp La. *Warn* —4G **21**
Warren Cres. *E Pre* —1F **29**
Warren Farm La. *Chich* —5D **2**
Warren Way. *Bar* —3E **13**
Warwick Clo. *Bog R* —3D **14**
Warwick Pl. *Bog R* —4C **18**
Washington St. *Chich* —2D **6**
Water La. *Ang* —4F **25**
Water La. *Lit* —1F **27**
Waterloo Rd. *Bog R* —4H **17**
Waterloo Sq. *Bog R* —6D **16**
Waterplat, The. *Chich* —1F **7**
Waters Edge. *Bog R* —4G **15**
Waterside Dri. *Chich* —6D **6**
Waterside, The. Lit —2E **27**
  (off River Rd.)
Watersmead Bus. Pk. *Lit*
  —5H **23**
Watersmeet. *Chich* —3A **6**
Watery La. *King* —6E **7**
  (in two parts)
Watson Way. *Wes* —2A **12**
Waverley Rd. *Bog R* —4B **16**
Waverley Rd. *Rust* —2C **28**
Way, The. *E Pre* —3G **29**
Weavers Hill. *Ang* —4G **25**
Weavers Ring. *Ang* —4G **25**
Webb Clo. *Bog R* —6C **14**
Wedgwood Rd. *Bog R* —4H **17**

Wellington Gdns. *Sel* —3D **10**
Wellington Rd. *Bog R* —5C **16**
Wellington Rd. *Chich* —6E **3**
Well Rd. *Bog R* —6B **14**
Wells Cres. *Bog R* —2F **15**
Wells Cres. *Chich* —6C **2**
Wellsfield. *W Wit* —2B **8**
Wendy Ridge. *Rust* —1B **28**
Wentworth Clo. *Bar* —2E **13**
Wessex Av. *Bog R* —6B **16**
Wessex Av. *E Wit* —4F **9**
West Av. *Aldw* —2H **15**
West Av. *Mid S* —3E **19**
W. Beach. *W Wit* —4C **8**
W. Beach Cvn. Pk. *Lit* —3E **27**
W. Beach Rd. *W Wit* —4C **8**
W. Bracklesham Dri. *Bra B*
—5F **9**
Westbridge Path. *Lav* —3C **2**
Westbrook Clo. *Bosh* —4B **4**
Westbrook Field. *Bosh* —4A **4**
W. Broyle Dri. *W Bro* —5A **2**
West Clo. *Fel* —5A **18**
West Clo. *Mid S* —4C **18**
West Dri. *Aldw* —4D **14**
West Dri. *Ang* —5D **24**
West Dri. *Elmer* —4F **19**
Westgate St. *Wood* —4A **12**
Western Rd. *Lit* —3G **27**
Western Rd. *Sel* —5D **10**
Westfield. *Bog R* —1C **16**
Westfield Av. *E Pre* —3G **29**
W. Front Rd. *Bog R* —6B **14**
Westgate. *Chich* —3B **6**
Westhampnett Rd. *Chich &*
Westh —2G **7**
West Head. *Lit* —3H **27**
Westingway. *Bog R* —5B **16**
Westlands. *Rust* —1A **28**
Westloats Gdns. *Bog R* —3C **16**
Westloats La. *Bog R* —3B **16**
W. Mead. *E Pre* —3E **29**
Westmead Rd. *Chich* —3A **6**
W. Meads Dri. *Bog R* —3A **16**
Westminster Dri. *Bog R* —2F **15**
Westmorland Dri. *Bog R*
—3A **18**
Westmount Cvn. Pk. *Sel*
—3B **10**
West Pallant. *Chich* —3E **7**
W. Ridings. *E Pre* —3E **29**
W. Sands Cvn. Pk. *Sel* —3A **10**
W. Sands La. *Sel* —4A **10**

W. Stoke Rd. *W Lav & W Bro*
—3A **2**
W. Strand. *W Wit* —3A **8**
West St. *Bog R* —6D **16**
West St. *Chich* —3D **6**
West St. *Sel* —5B **10**
W. View Dri. *Yap* —6F **13**
W. Walberton La. *Walb* —1G **13**
West Wlk. *E Pre* —4E **29**
Westward Clo. *Bosh* —4C **4**
Westward Ho. *Chich* —3A **6**
Westway. *Bog R* —3E **17**
West Way. *Fish* —3H **5**
West Way. *W Bro* —6A **2**
Westway. *Wick* —6E **23**
Whapple, The. *Lit* —3A **28**
Wharf Rd. *Lit* —2E **27**
Wheatcroft. *Wick* —6E **23**
Wheatfield Rd. *Sel* —3E **11**
Whistler Av. *Chich* —6E **3**
White Acre. *Wick* —6E **23**
Whitebeam Way. *Bog R* —3D **18**
White Clo. *Bog R* —3H **17**
Whitecroft. *Rust* —2C **28**
White Horse Cvn. Pk. *Sel*
—3C **10**
White Horses Way. *Lit* —2A **28**
White Knight Av. *Bog R* —4D **16**
Whitelands. *Bog R* —2H **17**
Whitelea Rd. *Wick* —1F **27**
White Rose Touring Pk. *Wick*
—4F **23**
Whiteside Clo. *Chich* —2F **7**
Whiteways. *Bog R* —2B **16**
Whiteways Clo. *Bog R* —2B **16**
Whiteways Clo. *Lit* —1F **27**
Whitfield Clo. *Bog R* —3F **17**
Whyke Clo. *Chich* —5F **7**
Whyke Ct. *Chich* —5F **7**
Whyke La. *Chich* —3F **7**
(in two parts)
Whyke Rd. *Chich* —5F **7**
Wick Clo. *Bog R* —4A **18**
Wick Farm Rd. *Wick* —1E **27**
Wick La. *Bog R* —4A **18**
Wick Pde. *Wick* —6F **23**
Wick St. *Wick* —1F **27**
Widgeon Clo. *Sel* —3A **10**
Wight Way. *Sel* —6D **10**
William Rd. *Chich* —3H **7**
Williams Rd. *Bosh* —2C **4**
William St. *Bog R* —5E **17**
Willow Av. *Rust* —2E **29**

Willowbed Av. *Chich* —5G **7**
Willowbed Dri. *Chich* —5F **7**
Willow Brook. *Wick* —6E **23**
Willow Ct. *Chich* —3B **6**
Willowhale Av. *Bog R* —3F **15**
Willowhale Grn. *Bog R* —3E **15**
Willowhayne Av. *E Pre* —3G **29**
(in two parts)
Willowhayne Clo. *E Pre* —3G **29**
Willowhayne Cres. *E Pre*
—3G **29**
Willows Cvn. Site. *Wood*
—5B **12**
Willows, The. *Rust* —2D **28**
Willows, The. *Sel* —3D **10**
Willow Way. *Bog R* —4D **14**
Wills Clo. *Ford* —6H **13**
Wilman Gdns. *Bog R* —3F **15**
Wilson Clo. *Chich* —2B **6**
Wilson Ct. *Ford* —6H **13**
Wilton Clo. *Bra B* —6H **9**
Wilton Clo. *Rust* —6B **24**
Wilton Dri. *Rust* —6B **24**
Winchester Dri. *Chich* —1D **6**
Winchester Rd. *Rust* —1E **29**
Winden Av. *Chich* —3F **7**
Windlesham Gdns. *E Pre*
—2G **29**
Windmill Clo. *Bog R* —4D **14**
Windmill Ct. *E Wit* —4E **9**
Windmill Dri. *Rust* —1D **28**
Windmill Field. *Bosh* —4A **4**
Windmill Rd. *Lit* —4F **27**
Windsor Clo. *Bog R* —1G **15**
Windsor Clo. *Rust* —6B **24**
Windsor Ct. *Rust* —6B **24**
Windsor Dri. *W Wit* —4D **8**
Windsor Rd. *Chich* —3G **7**
Windsor Rd. *Sel* —5D **10**
Windward Clo. *Lit* —2A **28**
Wingard Way. *Chich* —4E **7**
Winston Clo. *Bog R* —2A **16**
Winston Cres. *Bog R* —2A **16**
Winterbourne Rd. *Chich* —5E **3**
Winter Knoll, The. *Lit* —3H **27**
Wiston Av. *Chich* —5C **6**
Wolsey Clo. *Bog R* —4D **14**
Wolstenbury Rd. *Rust* —6D **24**
Woodborough Clo. *Bra B* —6H **9**
Woodbridge Pk. *E Pre* —2G **29**
Woodcote La. *Wick* —4F **23**
Woodend. *Bog R* —4B **16**
Woodfield Clo. *Bog R* —6C **14**

Woodgate Clo. *Wood* —4A **12**
Woodgate Pk. *Wood* —3A **12**
Woodgate Rd. *Wood* —4A **12**
Woodland Rd. *Sel* —6C **10**
Woodlands Av. *Rust* —2C **28**
Woodlands Clo. *Ang* —2G **25**
Woodlands Clo. *Rust* —1C **28**
Woodlands Cotts. *Rust* —1C **28**
Woodlands La. *Chich* —1D **6**
Woodlands Pk. *Yap* —5F **13**
Woodlands Rd. *Bog R* —2C **16**
Woodlands Rd. *Lit* —3G **27**
Woodruff Bus. Cen. *Chich*
—4C **6**
Woodside. *Bar* —3E **13**
Woodstock Gdns. *Bog R*
—3H **15**
Wood St. *Bog R* —6C **16**
Wood View. *Arun* —5C **20**
Woolsteps, The. *Chich* —3D **6**
Worcester Clo. *Bog R* —2G **15**
Worcester Rd. *Chich* —6D **2**
Wordsworth Gdns. *Bog R*
—3C **18**
Worms La. *Bog R* —2B **18**
(in two parts)
Worthing Rd. *E Pre* —1F **29**
Worthing Rd. *Wick & Rust*
—6F **23**
Wren Cres. *Bog R* —2C **16**
Wroxham Way. *Bog R* —2G **17**
Wyatt Ct. *E Wit* —4E **9**
Wychwood Clo. *Bog R* —4F **15**
Wychwood Wlk. *Bog R* —4G **15**
Wyde Feld. *Bog R* —3H **15**
Wyke La. N. *Bog R* —3B **18**
Wythering Clo. *Bog R* —6B **14**

Yapton La. *Walb* —1H **13**
Yapton Rd. *Bar* —4F **13**
Yapton Rd. *Ford* —6H **13**
Yapton Rd. *Mid S* —4D **18**
Yapton Rd. *Yap* —2E **19**
Yeomans Acre. *Bog R* —2H **15**
Yew Tree Clo. *Bog R* —2C **16**
York Chase. *Chich* —6D **2**
York Gdns. *Lit* —2F **27**
York Rd. *Bog R* —5E **17**
York Rd. *Chich* —4G **7**
York Rd. *Lit* —2F **27**
York Rd. *Sel* —6D **10**
Young St. *Chich* —6E **3**